Sobre a BREVIDADE DA VIDA

SÊNECA

Sobre a BREVIDADE DA VIDA

Tradução
Fábio Meneses Santos

Principis

Esta é uma publicação Principis, selo exclusivo da Ciranda Cultural
© 2021 Ciranda Cultural Editora e Distribuidora Ltda.

Traduzido do inglês
Seneca on the shortness of life - life is long if you know how to use it

Texto
Sêneca

Tradução
Fábio Meneses Santos

Preparação
Walter Sagardoy

Revisão
Fernanda R. Braga Simon

Produção editorial
Ciranda Cultural

Diagramação
Fernando Laino | Linea Editora

Design de capa
Ana Dobón

Imagens
Fran_kie/shutterstock.com;
Valenty/shutterstock.com

Traduzido a partir da versão em inglês de C. D. N. Costa

Dados Internacionais de Catalogação na Publicação (CIP) de acordo com ISBD

S475s	Sêneca
	Sobre a brevidade da vida / Sêneca ; traduzido por Fábio Meneses Santos. - Jandira, SP : Principis, 2021.
	96 p. ; 15,5cm x 22,6cm. – (Clássicos da literatura mundial)
	Tradução de: Seneca on the shortness of life - life is long if you know how to use it
	ISBN: 978-65-5552-289-1
	1. Filosofia. 2. Sêneca. I. Santos, Fábio Meneses. II. Título. III. Série.
2021-74	CDD 170 CDU 17

Elaborado por Vagner Rodolfo da Silva - CRB-8/9410

Índice para catálogo sistemático:
1. Filosofia : Sêneca 170
2. Filosofia : Sêneca 17

1ª edição em 2021
www.cirandacultural.com.br
Todos os direitos reservados.
Nenhuma parte desta publicação pode ser reproduzida, arquivada em sistema de busca ou transmitida por qualquer meio, seja ele eletrônico, fotocópia, gravação ou outros, sem prévia autorização do detentor dos direitos, e não pode circular encadernada ou encapada de maneira distinta daquela em que foi publicada, ou sem que as mesmas condições sejam impostas aos compradores subsequentes.

SUMÁRIO

Sobre a brevidade da vida 7

Um consolo para Hélvia 35

Sobre a tranquilidade da mente 63

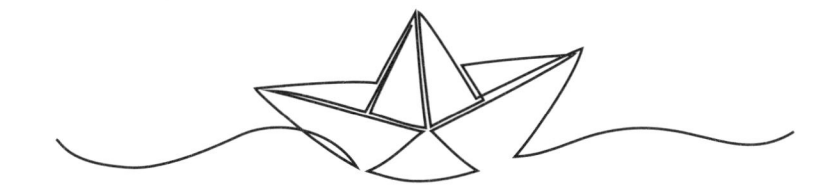

Sobre a brevidade da vida

A maioria dos seres humanos, Paulinus, queixa-se da mesquinhez da natureza, porque nascemos para um breve período de vida e porque este período que nos foi dado passa tão depressa e rapidamente que, com poucas exceções, a vida cessa para a maioria de nós exatamente quando estamos nos preparando para ela. Não é apenas o homem da rua e a massa irrefletida de pessoas que reclama disso, do modo como o veem, como o mal universal: o mesmo sentimento está por trás das queixas também de homens distintos. Daí a máxima do maior dos médicos: "A vida é curta, a arte é longa". Daí também a queixa, inapropriada para um homem sábio, que Aristóteles expressou quando responsabilizou a natureza por conceder aos animais existências tão longas que eles poderiam viver por cinco ou dez vidas humanas, enquanto um limite muito menor foi estabelecido para os homens, que nascem para um grande e extenso destino.

Não é que tenhamos pouco tempo de vida, mas desperdiçamos muito dela. A vida é longa o suficiente, e uma quantia bastante generosa nos foi dada para as maiores realizações, se tudo fosse bem empregado. Mas, quando é desperdiçada na luxúria despreocupada e gasta com nenhuma atividade produtiva, somos forçados pela restrição final da morte a perceber que ela passou. Assim é: não temos uma vida curta, mas a tornamos curta, e não somos mal abastecidos, mas a desperdiçamos. Assim como quando uma grande e principesca riqueza cai para um mau proprietário, ela é desperdiçada em um momento, mas a riqueza, por mais modesta que seja, se confiada a um bom guardião, aumenta com o uso, assim como nossa vida se estende amplamente se você a administrar adequadamente.

Por que reclamamos da natureza? Ela agiu com gentileza: a vida é longa se você sabe como usá-la. Mas um homem é tomado por uma ganância insaciável, outro por uma laboriosa dedicação a tarefas inúteis. Um homem está encharcado de vinho, outro preguiçoso com o ócio. Um homem está esgotado pela ambição política, sempre à mercê do julgamento dos outros. Outro, pela esperança de lucro, é virado de cabeça para baixo sobre todas as terras e oceanos pela ganância do comércio. Alguns são atormentados pela paixão pela vida militar, sempre com a intenção de infligir perigos aos outros ou ansiosos por encarar perigos para si próprios. Alguns estão esgotados pela servidão autoimposta de serviço ingrato aos grandes. Muitos estão ocupados perseguindo o dinheiro de outras pessoas ou reclamando do seu próprio dinheiro. Muitos não perseguem um objetivo fixo, mas são lançados de um lado para outro em projetos sempre mutáveis por uma inconstância perpétua, e nunca satisfeitos consigo mesmos. Alguns não têm um objetivo sequer para o curso de sua vida, mas a morte os pega de surpresa enquanto bocejam languidamente, tanto que não posso duvidar da veracidade daquela observação oracular do maior dos poetas: "É uma pequena parte da vida que realmente vivemos". Na verdade, todo o resto não é vida, mas apenas a passagem do tempo.

Os vícios cercam e assaltam os homens de todos os lados e não permitem que se ergam novamente e levantem os olhos para discernir a verdade, mas os mantêm oprimidos e arraigados em seus desejos. Eles nunca podem recuperar seu verdadeiro eu. Se por acaso alcançam alguma tranquilidade, assim como uma ondulação permanece no fundo do mar, mesmo depois que o vento diminui, assim permanecem eles, continuam se debatendo sem nunca encontrar descanso de seus desejos.

Você acha que estou falando apenas daqueles cuja maldade é reconhecida? Olhe para aqueles cuja boa sorte as pessoas se reúnem para admirar: eles estão sufocados por suas próprias bênçãos. Quantos deles não acham que suas riquezas são um fardo! Quantos estouraram um vaso sanguíneo com sua eloquência e seu esforço diário para exibir seus talentos! Quantos estão pálidos de prazeres constantes! Quantos não têm liberdade pela multidão de clientes que os rodeia! Em suma, percorra todos eles, do mais baixo ao mais alto: um pede assistência jurídica, outro vem ajudar; um está sendo julgado, outro o defende, outro o julga; ninguém reivindica a si mesmo, mas cada um é explorado em benefício do outro. Pergunte sobre aqueles cujos nomes conhecemos de cor, e você verá que eles possuem estas marcas distintivas: X cultiva Y e Y cultiva Z, ninguém se preocupa consigo mesmo.

Mais uma vez, certas pessoas revelam a mais estúpida indignação: queixam-se do orgulho dos seus superiores porque não tiveram tempo de lhes conceder uma audiência quando eles a pediram. Mas alguém ousará reclamar do orgulho alheio, quando ele mesmo nunca tem tempo para si? No entanto, seja você quem for, um grande homem às vezes olhou para você, e, mesmo que o olhar fosse paternalista, voltou os ouvidos para suas palavras, ele o deixou caminhar ao seu lado. Mas você mesmo nunca se digna a olhar para si, ou ouvir a si mesmo. Portanto, você não tem motivo para reivindicar o crédito de ninguém por essa atenção, já que as reivindicou não porque queria a companhia de outra pessoa, mas porque não podia suportar a sua própria companhia.

Mesmo se todos os intelectos brilhantes que já viveram concordassem em ponderar sobre este tema, eles nunca expressariam de forma suficiente sua surpresa com essa névoa na mente humana. Os homens não permitem que ninguém se apodere de suas propriedades e, se houver a menor disputa sobre suas fronteiras, eles correm para apanhar pedras e erguem os punhos; mas permitem que outros invadam suas vidas; ora, eles próprios até convidam aqueles que tomarão conta de suas vidas. Você não encontrará ninguém disposto a dividir seu dinheiro; mas para quantos cada um de nós divide a própria vida! As pessoas são frugais na guarda de seus bens pessoais; mas, assim que se chega ao desperdiçar do tempo, elas perdem muito da única coisa com a qual é correto ser mesquinho.

Portanto, gostaria de me atrelar a alguém da geração mais velha e dizer-lhe: "Vejo que você chegou ao último estágio da vida humana; você está perto de completar seu centésimo ano, ou mesmo além: venha aqui, vamos fazer uma auditoria de sua vida. Calcule quanto de seu tempo foi tomado por um agiota, quanto por uma amante, um patrono, um cliente, brigando com sua esposa, punindo seus escravos, correndo pela cidade em suas obrigações sociais. Considere também as doenças que causamos a nós mesmos, e o tempo que não foi usado. Você descobrirá que tem menos anos do que os que contou de vida. Lembre-se de quando você já teve um propósito fixo; quantos dias se passaram como você planejou; quando você esteve sempre à sua disposição; quando seu rosto assumiu sua expressão natural; quando sua mente não foi perturbada; que trabalhos você realizou em uma vida tão longa; quantos saquearam sua vida enquanto você nem notava as suas perdas; quanto você perdeu por meio da tristeza infundada, da alegria tola, dos desejo ganancioso, das seduções da sociedade; quão pouco do seu ser foi deixado para você. Você vai perceber que está morrendo prematuramente".

Então, qual é a razão para isso? Você está vivendo como se estivesse destinado a viver para sempre; sua própria fragilidade nunca ocorre a você; você não percebe quanto tempo já passou, mas desperdiça-o como se tivesse um estoque farto e transbordante, embora, o tempo todo, esse mesmo dia que você está dedicando a alguém ou algo possa ser o seu último. Vocês agem como mortais em tudo o que temem e como imortais em tudo o que desejam. Você ouvirá muitas pessoas dizer: "Quando eu tiver cinquenta anos, vou me aposentar para o lazer; quando eu tiver sessenta, abandonarei as funções públicas". E que garantia você tem de uma vida mais longa? Quem permitirá que seu curso prossiga conforme você o organiza? Você não tem vergonha de guardar para si apenas o que restará de sua vida e de dedicar à sabedoria apenas o tempo que não pode ser gasto em nenhum outro negócio? Como é tarde para começar a viver de verdade, exatamente quando a vida deve acabar! Quão estúpido é esquecer nossa mortalidade e adiar planos importantes para os nossos cinquenta ou sessenta anos, visando começar a vida em um ponto a que poucos chegaram!

Você notará que os homens mais poderosos e bem posicionados fazem comentários em que imploram por lazer, elogiam e o avaliam melhor do que todas as suas bênçãos. Às vezes, eles desejam descer de seus pináculos, se o puderem fazer em segurança; pois, mesmo que nada externo os assalte ou agite, a grande fortuna de si mesmos ameaça desabar. O deificado Augusto, a quem os deuses concederam mais do que a qualquer outra pessoa, nunca deixou de orar por descanso e de buscar uma trégua dos negócios públicos. Tudo o que ele dizia sempre revertia para este tema: sua esperança de lazer. Costumava iludir seu trabalho com este consolo, doce, embora falso, de que um dia viveria para agradar a si mesmo. Numa carta que escreveu ao Senado, depois de prometer que seu descanso não falharia em dignidade nem seria incompatível com sua antiga glória, encontro estas palavras: "Mas é mais impressionante realizar essas coisas do que prometê-las. No entanto, como a deliciosa realidade ainda está muito distante, meu anseio por aquele tempo tão desejado me levou a antecipar parte de seu deleite pelo prazer que surge das palavras". O lazer parecia tão valioso para ele que, por não poder desfrutá-lo na realidade, fazia-o mentalmente com antecedência. Aquele que viu que tudo dependia exclusivamente de si mesmo, que decidiu o destino dos indivíduos e das nações, ficou mais feliz ao pensar naquele dia em que deixaria de lado a sua própria grandeza. Ele sabia por experiência própria quanto suor essas bênçãos brilhando em cada terra lhe custavam, quantas ansiedades secretas elas ocultavam. Ele foi forçado a lutar primeiro com seus conterrâneos, depois com seus colegas e, finalmente, com seus parentes, derramando sangue na terra e no mar. Impelido a lutar na Macedônia, Sicília, Egito, Síria, Ásia, em quase todos os países, ele voltou seus exércitos contra inimigos estrangeiros quando eles estavam cansados de derramar sangue romano. Enquanto estava estabelecendo a paz nos Alpes e subjugando os inimigos estabelecidos no meio de seu próprio império pacífico, enquanto estendia suas fronteiras além do Reno, o Eufrates e o Danúbio na própria Roma, Murena, Caepio, Lepidus, Egnatius e outros estavam afiando suas espadas contra ele. Nem ele ainda escapara de suas tramas, quando sua filha e todos os jovens nobres ligados a ela por adultério, como se por um juramento continuassem alarmando sua débil velhice, como fizeram Iullus e uma segunda mulher formidável ligada a um tal Antônio. Ele cortou essas úlceras, membros e tudo, mas outras tomaram seu lugar: como um corpo com excesso de sangue que está sempre sujeito a uma hemorragia em algum lugar. Por isso ansiava pelo lazer e, à medida que suas esperanças e pensamentos persistiam na ideia, encontrou alívio para o seu trabalho: esta era a oração do homem que podia conceder às orações de toda a humanidade.

Quando Marco Cícero foi lançado entre homens como Catiline, Clodius, Pompeu e Crasso, alguns deles inimigos indisfarçáveis e alguns amigos duvidosos, quando foi jogado de um lado para o outro na tempestade que atingiu o Estado, ele tentou segurar firme enquanto avançava em sua desgraça; que ao fim foi varrido dali. Ele não tinha paz na prosperidade nem paciência na adversidade, e quantas vezes ele amaldiçoa aquele mesmo consulado, que ele elogiou sem cessar, embora não sem um bom motivo! Que palavras lamentáveis ele usa em uma carta a Ático quando o mais velho Pompeu havia sido conquistado e seu filho ainda estava tentando reviver suas forças derrotadas na Espanha! "Você quer saber", disse ele, "o que estou fazendo aqui?" Vou ficar semiprisioneiro na minha vila em Tusculan. Ele então passa a lamentar sua vida anterior, reclamar do presente e se desesperar com o futuro. Cícero se autodenominou um semiprisioneiro, mas realmente e verdadeiramente o homem sábio nunca irá tão longe a ponto de usar um termo tão abjeto. Ele nunca será um semiprisioneiro, mas sempre desfrutará de uma liberdade sólida e completa, com a liberdade de ser seu próprio senhor e superior a todos os outros.

Pois o que pode estar acima do homem que está acima do destino? Lívio Druso, um homem ousado e vigoroso, propôs leis que renovaram a política maligna dos Gracos, e ele foi apoiado por uma enorme multidão de toda a Itália. Mas ele não conseguia ver nenhum resultado bem-sucedido para suas medidas, que não poderia levá-las a cabo nem as abandonar uma vez empreendidas; e dizem que amaldiçoou a vida turbulenta que sempre viveu, dizendo que ele mesmo nunca teve férias, nem quando criança. Pois, enquanto ainda estava sob custódia e vestido como um jovem, ele se aventurou a falar a um júri em favor de alguns homens acusados e a conquistar influência nos tribunais, com tanto efeito que, como todos sabemos, ele forçou alguns veredictos favoráveis a seus clientes. Até onde uma ambição tão precoce não iria? Você deveria saber que essa ousadia prematura resultaria em problemas terríveis, tanto públicos quanto privados. Pois já era tarde demais para reclamar que nunca tirou férias, pois desde a sua infância fora um sério encrenqueiro no Fórum. É incerto se ele morreu por suas próprias mãos, pois ele desmaiou após receber um ferimento repentino na virilha, algumas pessoas duvidando que sua morte tenha sido autoinfligida, mas ninguém duvidando que ela tivesse sido oportuna.

Seria supérfluo mencionar ainda que, embora parecendo para os outros o mais feliz dos mortais, eles mesmos carregavam uma verdadeira testemunha contra si próprios por seu ódio expresso de cada ação de suas vidas. Mesmo assim, eles não mudaram a si próprios ou a qualquer outra pessoa por meio dessas queixas, pois, depois da explosão de palavras, seus sentimentos voltavam ao normal. Certamente suas vidas, mesmo que durem mais de mil anos, se encolher-se-ão no mais ínfimo período: esses vícios irão engolir qualquer espaço de tempo. O tempo real que você tem, que a razão pode prolongar, embora ele naturalmente passe muito depressa, escapa também rapidamente de você de maneira inevitável: pois você não consegue agarrar ou o segurar ou tentar atrasar a mais rápida de todas as coisas, mas você a deixa escapar como se fosse algo supérfluo e substituível.

Mas, entre os piores ofensores, conto aqueles que passam todo o tempo bebendo e cobiçando, pois essas são as piores atitudes de todas. Outras pessoas, mesmo que possuídas por uma aparência ilusória de glória, sofrem de uma ilusão respeitável. Você pode me dar uma lista de homens mesquinhos, ou homens de temperamento quente que se entregam a ódios ou guerras injustos: mas todos eles estão pecando de um modo muito mais viril. São aqueles que estão em um curso precipitado de gula e luxúria e que estão manchados com a desonra. Examine como todas essas pessoas gastam seu tempo; quanto tempo se dedicam às suas contas, a armar armadilhas para os outros ou a temer aquelas que foram postas contra si próprios, a cortejar outros ou serem cortejados eles mesmos, a dar ou receber fiança, a banquetes (que agora contam como negócio oficial): você verá como suas atividades, boas ou más, não lhes dão nem tempo para respirar.

Finalmente, existe um acordo geral que nenhuma atividade pode ser exercida com sucesso por um indivíduo que esteja preocupado, nem retórica ou estudos liberais, uma vez que a mente, quando distraída, não absorve nada profundamente, mas rejeita tudo o que é, por assim dizer, enfiado para dentro dela. Viver é a atividade menos importante do homem preocupado; no entanto, não há nada mais difícil de aprender. Existem muitos instrutores nas outras artes que podem ser encontrados em qualquer lugar: de fato, algumas dessas artes, que simples meninos compreenderam tão profundamente e que podem até mesmo ensiná-las. Mas aprender a viver exige uma vida inteira, e, o que pode surpreendê-lo mais, é preciso uma vida inteira para aprender a morrer.

Muitos dos melhores homens deixaram de lado todos os seus ônus, renunciando às riquezas, aos negócios e ao prazer, e fizeram de seu único objetivo, até o fim de suas vidas, saber como viver. No entanto, muitos deles morreram confessando que ainda não o sabiam, e menos ainda aqueles outros poderiam saber. Acredite em mim, é o sinal de um grande homem, e de um que esteja acima do erro humano, não querer ver seu tempo desperdiçado: ele tem a vida mais longa possível simplesmente porque todo o tempo disponível ele se dedicou inteiramente a si mesmo. Nenhum desse tempo foi abandonado ou negligenciado, nada sob o controle de outra pessoa; por ser um guardião extremamente parcimonioso de seu tempo, nunca encontrou algo que valesse a pena trocar por ele. Então ele teve tempo suficiente; mas aqueles em cujas vidas o público fez grandes incursões, inevitavelmente, têm muito pouco.

Nem deve você pensar que essas pessoas às vezes não reconheçam sua perda. Na verdade, você ouvirá muitos daqueles para quem a grande prosperidade é um fardo, às vezes clamando em meio a suas hordas de clientes ou fazendo seus pedidos em tribunais ou outras honrosas misérias. "É impossível viver". Claro que é impossível. Todos aqueles que chamam você para eles o afastam de si mesmo. Quantos dias aquele réu roubou de você? Ou aquele candidato? Ou aquela velha cansada de enterrar seus herdeiros? Ou aquele homem fingindo uma doença para despertar a ganância dos caçadores de heranças? Ou aquele amigo influente que mantém pessoas como você não para amizade, mas para exibição? Marque-os bem, eu lhe digo, e reveja os dias de sua vida: você verá que muito poucos, os resíduos inúteis, foram deixados para você.

Um homem que alcançou o distintivo cargo que cobiçava, anseia por deixá-lo de lado e fica repetindo: "Este ano nunca terminará?". Outro homem considerou uma grande vitória ganhar a chance de disputar jogos, mas, tendo conseguido, diz: "Quando vou me livrar deles?". Esse defensor é agarrado por todos os lados do Fórum e enche todo o lugar com uma enorme multidão que se estende além do que ele pode ser ouvido: mas ele diz: "Quando chegarão as férias?".

Todos se apressam em sua vida e são perturbados por um anseio pelo futuro e pelo cansaço do presente. Mas o homem que dedica todo o seu tempo às próprias necessidades, que organiza cada dia como se fosse o último, não anseia nem teme o dia seguinte. Para quais novos prazeres pode qualquer hora lhe trazer? Ele tentou de tudo e desfrutou de tudo ao máximo. Quanto ao resto, o destino pode dispor como quiser: a vida dele agora está segura. Nada pode ser tirado desta vida, e você só pode adicionar a ela, como se estivesse dando a um homem que já está farto e satisfeito um alimento que ele não deseja, mas pode aceitar receber. Portanto, você não deve pensar que um homem viveu muito porque tem cabelos brancos e rugas: ele não viveu muito, apenas existiu muito. Pois suponha que você pense que um homem que fez uma longa viagem, e que tinha sido pego por uma tempestade violenta quando ele deixou o porto, e carregado para cá e para lá, girado e girado em um círculo pela fúria dos ventos contrários. Ele não fez uma longa viagem, apenas sofreu uma longa sacudida.

Sempre me surpreende ver algumas pessoas exigindo o tempo de outras e recebendo uma resposta muito prestativa. Ambos os lados têm em vista a razão pela qual o tempo é solicitado e nenhum deles considera o tempo em si, como se nada ali estivesse sendo pedido e nada fosse dado. Estão brincando com o bem mais precioso da vida, sendo enganados por ser uma coisa intangível, não passível de inspeção e, portanto, considerado muito barato; na verdade, quase sem valor. As pessoas têm o prazer de aceitar pensões e gratificações, pelas quais alugam a sua mão de obra, o seu sustento ou os seus serviços. Mas ninguém trabalha o valor do tempo: os homens o usam prodigamente como se não custasse nada. Mas, se a morte ameaçar essas mesmas pessoas, você as verá rogando aos médicos; se eles temem a pena de morte, você os verá preparados para gastar tudo para permanecerem vivos. Eles são muito inconsistentes em seus sentimentos. Mas, se cada um de nós pudesse ter a contagem de seus anos futuros diante de si, como podemos fazer com nossos anos passados, quão alarmados ficariam aqueles que vissem apenas alguns anos à frente, e com que cuidado eles os usariam! E, no entanto, é fácil organizar uma quantia, embora pequena, que seja garantida; temos de ser mais cuidadosos em preservar o que cessará em um ponto desconhecido.

Mas você não deve pensar que essas pessoas não saibam como o tempo é precioso. Costumam dizer àqueles de quem gostam particularmente que estão dispostos a dar-lhes parte de seus anos. E eles os dão sem estarem cientes disso; mas o presente é tal que eles próprios perdem, sem acrescentar nada aos outros que o recebem. Mas o que eles realmente não sabem é que estão perdendo; assim, eles conseguem suportar a perda do que eles não sabem que terminou. Ninguém vai trazer de volta os anos; ninguém irá restaurá-los para si mesmo. A vida seguirá o caminho que começou a percorrer e não reverterá nem interromperá seu curso. Não causará comoção para lembrá-lo de sua rapidez, mas deslizará em silêncio. Ela não se alongará por causa das ordens de um rei ou do apoio do povo. Como começou em seu primeiro dia, então continuará correndo adiante, não parando em nenhum lugar nem se desviando.

Qual será o resultado? Você tem se preocupado enquanto a vida avança. Enquanto isso, a morte chegará, e você não tem escolha em se colocar à disposição para ela. Pode algo ser mais idiota do que certas pessoas que se gabam de sua visão anticipatória da morte? Eles se mantêm oficiosamente preocupados a fim de melhorar suas vidas; eles passam sua existência organizando suas vidas. Eles direcionam seus propósitos com um olhar para um futuro distante. Mas adiar as coisas é o maior desperdício da vida: isso vai embora a cada dia que chega e nos nega o presente ao prometer o futuro.

O maior obstáculo à vida é a expectativa, que depende do amanhã e desperdiça o hoje. Você está discutindo o que está sob o controle do destino e abandonando o que está sob seu controle. O que você está observando? Para qual objetivo você está se esforçando? Todo o futuro está envolto na incerteza: viva imediatamente. Ouça o grito de nosso maior poeta, que, como que inspirado por uma expressão divina, canta versos salutares: o melhor dia da vida para miseráveis mortais aqui é sempre o primeiro a fugir. "Por que você se demora?", ele pensa. "Por que você está ocioso? Se você não o agarrar primeiro, ele foge." E, mesmo que você o agarre, ele ainda assim fugirá. Portanto, você deve combinar a rapidez do tempo com sua rapidez em usá-lo e deve beber dele rapidamente como se fosse de um riacho correndo, mas que nem sempre fluirá.

Também em castigar atrasos sem-fim, o poeta fala muito elegantemente não da "melhor idade", mas do "melhor dia". Por mais ganancioso que você seja, por que está tão despreocupado e tão lento (enquanto o tempo voa tão rápido), estendendo-se por meses e anos em uma longa sequência à sua frente? O poeta está falando sobre o dia, e sobre este mesmo dia que está escapando. Portanto, pode-se duvidar de que, para os infelizes mortais, isto é, os preocupados, o melhor dia é sempre o primeiro a fugir? A velhice os atinge enquanto ainda são mentalmente infantis, e eles a enfrentam despreparados e desarmados. Pois eles não tomaram providência alguma quanto a isso, tropeçando de repente e inadvertidamente nela, e sem perceber que ela se aproximava dia após dia. Assim como os viajantes são seduzidos por conversas, leituras ou alguma meditação profunda e descobrem que chegaram ao seu destino antes de perceberem que estavam se aproximando dele; assim é com essa jornada incessante e extremamente rápida da vida, que acordados ou dormindo fazemos no mesmo ritmo, os preocupados só se dão conta disso quando ela acaba.

Se eu quisesse dividir meu tema em diferentes títulos e oferecer provas, encontraria muitos argumentos para provar que os preocupados acham a vida muito curta. Mas Fabianus, que não era um dos filósofos acadêmicos de hoje, mas do verdadeiro tipo tradicional, costumava dizer que devemos atacar as paixões pela força bruta, e não pela lógica; que a linha do inimigo deve ser vencida por um ataque forte, e não por alfinetadas; pois os vícios têm de ser esmagados, em vez de escolhidos a dedo. Ainda assim, a fim de que as pessoas envolvidas possam ser censuradas por suas próprias faltas individuais, elas devem ser ensinadas, e não apenas dadas como perdidas.

A vida é dividida em três períodos: passado, presente e futuro. Destes, o presente é curto, o futuro é duvidoso, e o passado é certo. Pois este último é aquele sobre o qual o destino perdeu seu poder, que não pode ser trazido de volta ao controle de ninguém. Mas é isso que as pessoas preocupadas desperdiçam: pois não têm tempo para olhar para o passado e, mesmo que tivessem, não é agradável recordar atividades das quais se envergonhem. Portanto, não estão dispostas a voltar a pensar em tempos mal utilizados, que não ousariam reviver se seus vícios nas lembranças se tornassem óbvios, mesmo aqueles vícios cuja abordagem insidiosa foi disfarçada pelo encanto de algum prazer momentâneo. Ninguém volta ao passado voluntariamente, a menos que todas as suas ações tenham passado por sua própria censura, que nunca pode ser enganada. O homem que deve temer a própria memória é aquele que foi ambicioso em sua ganância, arrogante em seu desprezo, descontrolado em suas vitórias, traiçoeiro em seus enganos, voraz em seus saques e perdulário em seu esbanjamento. E, no entanto, este é o período de nosso tempo que é sagrado e dedicado, que ultrapassou todos os riscos humanos e foi removido do caminho do destino, que não pode mais ser ameaçado pela necessidade, medo ou pelo ataque de doenças. Não pode ser perturbado ou arrancado de nós: é uma posse imperturbável e eterna. No presente, temos apenas um dia de cada vez, cada um oferecendo um minuto de cada vez. Mas todos os dias do passado virão ao nosso chamado: você pode desmontá-los e inspecioná-los quando quiser; algo que os preocupados não têm tempo de fazer. É a mente tranquila e livre de preocupações que pode vagar por todas as etapas de sua vida: as mentes dos preocupados, como se estivessem amarradas a um jugo, não podem se virar e olhar para trás. Assim, suas vidas desaparecem em um abismo; e, assim como não adianta derramar qualquer quantidade de líquido em um vaso sem um fundo para segurá-lo e contê-lo, não importa quanto tempo nos seja dado se não há lugar para ele se assentar; ele escapa pelas rachaduras e buracos da mente.

O tempo atual é extremamente curto, tanto que algumas pessoas não sabem disso. Pois ele está sempre em movimento, fluindo com pressa; cessa antes de chegar e não sofre mais atraso do que o firmamento ou as estrelas, cujo movimento incessante nunca para no mesmo lugar. E assim os preocupados estão preocupados apenas com o presente, que é tão curto que não pode ser agarrado, e mesmo isso é roubado deles enquanto estão envolvidos em suas muitas distrações. Em uma palavra, você gostaria de saber por que eles não conseguem viver muito? Veja como eles desejam viver muito.

Os idosos fracos oram por mais alguns anos; eles fingem que são mais jovens do que são; eles se consolam com esse engano e se enganam tão avidamente como se enganassem o destino ao mesmo tempo. Mas, quando finalmente alguma doença os lembra de sua mortalidade, quão aterrorizados eles morrem, como se não estivessem apenas saindo da vida, mas sendo arrastados para fora dela. Exclamam que foram tolos porque não viveram realmente e que, se ao menos puderem se recuperar dessa doença, viveriam no lazer. Então eles refletem como inutilmente adquiriram coisas das quais nunca gostariam e como todo o seu trabalho foi em vão.

Mas para aqueles cuja vida está afastada de todos os negócios, deve ser amplamente longa. Nada disso é desperdiçado, nada se espalha aqui e ali, nada é comprometido com o destino, nada se perde por descuido, nada é desperdiçado em generosidade, nada é supérfluo: tudo isso, por assim dizer, está bem investido. Portanto, por mais curta que seja, a vida é totalmente suficiente e, portanto, quando chegar o seu último dia, o homem sábio não hesitará em encontrar a morte com um passo firme.

Talvez você queira saber a quem eu chamaria de preocupados? Você não deve imaginar que estou me referindo apenas àqueles que são expulsos do tribunal com a chegada dos cães de guarda; ou àqueles que você vê esmagados de forma honrosa em sua própria multidão de apoiadores ou de forma ameaçadora nos apoiadores de outra pessoa; ou àqueles cujos deveres sociais os tiram de suas próprias casas para jogá-los contra a porta de outra pessoa; ou àqueles a quem a lança de leilão do pretor ocupa na obtenção de ganhos vergonhosos, e que um dia se voltarão contra eles. Alguns homens se preocupam até durante seu lazer: em sua casa de campo, em seu divã, no meio da solidão, mesmo quando totalmente sozinhos, são sua pior companhia. Você não poderia chamar a vida deles uma vida de lazer, mas de uma preocupação ociosa. Você chamaria de vagabundo aquele homem que arruma com ansiosa precisão seus bronzes coríntios, cujo custo é inflado pela mania de alguns colecionadores, e passa a maior parte do dia em meio a pedaços de metal enferrujado? Quem se senta em um ringue de luta (que vergonha! Sofremos de vícios que nem mesmo são romanos!) ansiosamente acompanhando as lutas entre meninos? Quem classifica seus rebanhos de animais de carga em pares de acordo com a idade e a cor? Quem paga pela manutenção dos atletas mais novos? Mais uma vez, você chama aqueles homens despreocupados que passam muitas horas no barbeiro simplesmente para cortar o que quer que tenha crescido durante a noite, para ter um debate sério sobre cada cabelo separado, para arrumar mechas desarrumadas ou para treinar as mechas dos lados para repousar sobre a testa? Como ficam zangados se o barbeiro é um pouco descuidado, como se estivesse aparando um homem de verdade! Como eles se inflamam se alguma de suas madeixas é mal cortada, se alguma está mal-arrumada ou se não caem todas nos cachos certos! Qual deles não preferia ter seu país desarrumado a seu cabelo? Qual deles não estaria mais ansioso com a elegância de sua cabeça do que com sua segurança? Quem não prefere ser elegante a ser honrado? Você chama de ociosos aqueles homens que dividem o tempo entre o pente e o espelho? E o que dizer daqueles que se ocupam em compor, ouvir ou aprender canções, enquanto distorcem a voz, cujo tom melhor e mais simples pretendia ser o reto, nas modulações mais anormais; que estão sempre tamborilando com os dedos enquanto batem o tempo em uma melodia imaginária; quem você pode ouvir cantarolando para si mesmo, mesmo quando são convocados para um caso sério, muitas vezes até doloroso? No caso deles não é lazer, mas ocupação indolente.

E, meu Deus, quanto aos seus banquetes, não os consideraria momentos de lazer, quando vejo quão ansiosos arrumam a sua prata, com que cuidado cingem as túnicas dos seus pajens, como estão ansiosos para ver como o cozinheiro lidou com o javali, com que rapidez! Escravos de faces lisas apressam-se em cumprir seus deveres, com que habilidade os pássaros são entalhados em porções apropriadas, como pequenos escravos miseráveis enxugam cuidadosamente a saliva dos bêbados. Por esses meios, cultivam a reputação de elegância e bom gosto e, a tal ponto, suas falhas os acompanham em todas as áreas de suas vidas privadas, de modo que não conseguem mais comer ou beber sem ostentação.

Eu também não consideraria desocupados aqueles que são carregados em uma liteira ou maca de barriga para cima, para que cheguem pontualmente para seus passeios como se fosse proibido abandoná-los; a quem é preciso dizer quando tomar banho, nadar ou jantar: estão tão enervados pelo excessivo torpor de uma mente autoindulgente que não podem confiar em si mesmos para saber se estão com fome. Disseram-me que uma dessas pessoas autoindulgentes, se autoindulgência é a palavra certa para desaprender os hábitos comuns da vida humana, quando foi tirado do banho e colocado em sua cadeirinha, perguntou: "Eu estou agora sentado?". Você acha que este homem, que não sabe se está sentado, sabe se está vivo, se ainda pode ver, se está descansando? É difícil dizer se tenho mais pena dele, se ele realmente não sabia sobre seu estado, ou se fingia não saber. Eles realmente experimentam o esquecimento de muitas coisas, mas também fingem esquecer muitas coisas. Eles se deleitam com certos vícios como prova de sua boa sorte: parece ser apenas o homem humilde e desprezível, quem sabe o que está fazendo.

Depois disso, veja se consegue acusar os mímicos de inventar muitos detalhes para debochar da luxúria! Na verdade, eles passam sem perceber, mais do que inventam, e tal riqueza de vícios incríveis apareceu nesta geração, o que mostra o talento nesta área, que agora poderíamos realmente acusar os mímicos de ignorá-los. E pensar que existe alguém tão perdido na luxúria que tem de confiar que outro lhe dirá se está sentado ou em pé! Portanto, aquele ali não está à vontade, e deves dar-lhe outra descrição, como "está doente", ou mesmo, "está morto": o homem que está mesmo a descansar também o sabe. Mas este que está apenas meio vivo e precisa ser informado sobre as posições de seu próprio corpo, como ele pode ter controle sobre qualquer parte de seu tempo?

Seria tedioso mencionar individualmente aqueles que passaram toda a vida jogando damas ou bola, ou cozinhando-se cuidadosamente ao sol. Eles não estão à vontade, cujos prazeres envolvem um compromisso sério. Por exemplo, ninguém contestará que não se ocupam de nada aquelas pessoas que gastam seu tempo em estudos literários inúteis: mesmo entre os romanos existe agora um grande número destes. Antigamente era uma falha dos gregos querer saber quantos remadores Ulisses tinha, se *Ilíada* ou *A Odisseia* foi escrita primeiro, e se também eram do mesmo autor, e outras questões desse tipo, que se você as mantiver consigo mesmo de forma alguma aumentarão o seu conhecimento particular e, se as publicar, você parecerá mais um chato do que um estudioso.

Mas agora os romanos também têm estado aflitos pelo entusiasmo inútil por conhecimento inútil. Recentemente, ouvi alguém relatar qual general romano fez isso ou aquilo primeiro: Duilius primeiro venceu uma batalha naval; Curius Dentatus primeiro incluiu elefantes em uma de suas vitoriosas batalhas. Até agora esses fatos, mesmo que não contribuam para a verdadeira glória, pelo menos dizem respeito a serviços exemplares ao Estado: tal conhecimento não nos fará nenhum bem, mas nos interessa por causa desses fatos inúteis.

Também podemos desculpar aqueles que investigam os que primeiro persuadiram os romanos a embarcarem em um navio. Esse foi Cláudio, que por essa razão se chamava Caudex porque uma estrutura que ligava várias pranchas de madeira era chamada na Antiguidade de Caudex. Daí também as Tábuas das Leis serem chamadas de códices, e ainda hoje os barcos que transportam provisões no rio Tibre acima são chamados pelo antigo nome de *codicariae*.

Sem dúvida, também é de alguma importância saber que Valerius Corvinus primeiro conquistou Messana e foi o primeiro da família dos Valerii a receber o sobrenome Messana do nome da cidade capturada, cuja grafia foi gradualmente corrompida na linguagem cotidiana para Messalla.

Talvez você também permita que alguém leve a sério o fato de que Lúcio Sula exibiu leões soltos pela primeira vez no Circo, embora em outras ocasiões eles tenham sido mostrados com grilhões e que os lançadores de dardo tenham sido enviados pelo Rei Baco para matá-los. Isso também pode ser desculpado, mas serviria a algum propósito bom? Saber que Pompeu exibiu pela primeira vez no Circo uma luta envolvendo dezoito elefantes, lançando homens inocentes contra eles em uma batalha encenada. Um líder do Estado e, como nos dizem, um homem de notável bondade entre os líderes de antigamente, ele pensou que seria um espetáculo memorável matar seres humanos de uma maneira nova. "Eles vão lutar até a morte? Não está bom o suficiente. Eles devem ser feitos em pedaços? Não está bom o suficiente. Que eles sejam esmagados por animais de enorme porte." Seria melhor que essas coisas fossem esquecidas, para que no futuro alguém no poder não pudesse aprender sobre elas e não desejasse ser superado por tal desumanidade.

Oh, que escuridão traz a grande prosperidade sobre nossas mentes! Ele se considerava além das leis da natureza na época em que estava jogando tantas multidões de homens miseráveis para criaturas selvagens do exterior, quando estava colocando criaturas tão díspares umas contra as outras, quando ele derramava tanto sangue na frente do povo romano, que logo seriam eles mesmos forçados por ele a derramar seu próprio sangue. Mais tarde, porém, ele mesmo, enganado pela traição alexandrina, ofereceu-se para ser apunhalado pelo escravo inferior, só então percebendo que seu sobrenome ("Grande") era uma ostentação vazia.

Mas, voltando ao ponto de onde me desviei, e para ilustrar como algumas pessoas despendem esforços inúteis nesses mesmos temas, o homem a que me referi relatou que Metelo em seu triunfo, após conquistar os cartagineses na Sicília, o único entre todos os romanos, conduziu cento e vinte elefantes diante de sua carruagem, e que Sila foi o último dos romanos a ter ampliado o *pomerium*[1], que era uma prática antiga estender após adquirir território italiano, mas nunca provincial. É melhor saber disso do que saber que o Monte Aventino, como ele afirmou, fica fora do *pomerium* por um de dois motivos, seja porque a plebe se retirou para lá ou porque, quando Remo recebeu os auspícios ali, os pássaros não foram favoráveis, e inúmeras outras teorias que são falsas ou muito próximas de mentiras? Pois, mesmo que você admita que eles dizem tudo isso de boa-fé, mesmo que garantam a veracidade de suas afirmações, de quem esses erros serão assim diminuídos? De quem as paixões serão reprimidas? Quem será feito mais livre, mais justo, mais magnânimo?

Nosso Fabianus costumava dizer que às vezes ele se perguntava se não seria melhor não se envolver em quaisquer pesquisas do que ficar emaranhado nelas. De todas as pessoas, apenas aquelas que encontram tempo livre para a filosofia estão realmente vivas. Pois elas não apenas mantêm uma boa vigilância sobre suas próprias vidas, mas anexam toda a sabedoria das eras passadas às suas. Todos os anos que se passaram antes deles são somados aos seus. A menos que sejamos muito ingratos, todos aqueles distintos fundadores dos santos credos nasceram para nós e prepararam para nós um estilo de vida. Pelo trabalho de outros, somos conduzidos à presença de coisas que foram trazidas das trevas para a luz. Não somos excluídos de nenhum desses tempos, mas temos acesso a todos eles; e, se estivermos preparados com altivez da mente para ultrapassar os limites estreitos da fraqueza humana, haverá um longo período através do qual podemos vagar. Podemos discutir com Sócrates, expressar dúvidas com

---

[1] *Pomerium* - fronteira simbólica da cidade de Roma na Antiguidade. (N.T.)

Carneades, cultivar o retiro com Epicuro, superar a natureza humana com os estoicos e ultrapassar seus limites com os cínicos. Visto que a natureza nos permite entrar em parceria com todas as épocas, por que não deixar esse breve e passageiro tempo e nos entregar de todo o coração ao passado, que é ilimitado e eterno e pode ser compartilhado com homens melhores do que nós? Aqueles que se apressam em cumprir deveres sociais, perturbando a si próprios e aos outros, quando terminam devidamente a sua ronda maluca e diariamente cruzam a soleira de cada um e não passam por nenhuma porta aberta, quando levam consigo saudações egoístas às casas que estão a quilômetros de distância, quão poucos deles serão capazes de ver em uma cidade tão enorme e tão distraída pelos variados desejos? Quantos haverá que, por causa da sonolência, da autoindulgência ou da falta de graça, eu os excluirei? Quantos, depois de mantê-los na agonia da espera, vão fingir que estão com pressa e passar correndo por eles? Quantos eu evitarei ao sair por um corredor lotado de dependentes e escapar por uma porta secreta, como se não fosse ainda mais descortês enganar quem nos visita do que os excluir? Quantos, meio adormecidos e preguiçosos depois da bebida de ontem, bocejarão insolentemente e terão de ser instigados mil vezes em um sussurro antes, mal movendo os lábios, eles possam saudar pelo nome os pobres infelizes que quebraram seu próprio sono para esperar pelo de outro?

Em vez disso, você deve supor que estão envolvidos em tarefas valiosas aqueles que desejam ter diariamente como seus amigos mais próximos Zenão, Pitágoras, Demócrito e todos os outros sumo-sacerdotes dos estudos liberais, e Aristóteles e Teofrasto. Nenhum destes estará muito ocupado para vê-lo, nenhum destes irá se despedir de seu visitante mais feliz e mais dedicado a si mesmo, nenhum destes permitirá que alguém saia de mãos vazias. Eles estão em casa para todos os mortais durante a noite e durante o dia. Nenhum deles irá forçá-lo a morrer, mas todos vão ensinar você como morrer. Nenhum deles esgotará seus anos, mas cada um contribuirá com sua experiência de anos para a sua experiência.

Com nenhum deles a conversa será perigosa, ou será sua amizade fatal, ou o atendimento a ele, caro. Deles você pode tirar o que quiser: não será culpa deles se você não aceitar o que quiser deles. Que felicidade, que bela velhice aguarda o homem que se fez cliente desses mestres! Terá amigos cujos conselhos poderá pedir sobre os assuntos mais importantes ou mais triviais, a quem poderá consultar diariamente sobre si mesmo, que lhe dirão a verdade sem insultá-lo e elogiá-lo sem lisonja, que irá oferecer a ele um modelo no qual se basear.

Costumamos dizer que não estava em nosso poder escolher os pais que nos foram atribuídos, que nos foram dados pelo acaso. Mas podemos escolher de quem gostaríamos de ser filhos. Existem famílias dos intelectos mais nobres: escolha aquela pela qual deseja ser adotado e herdará não apenas o nome, mas também a sua propriedade. Nem essa propriedade precisará ser guardada de maneira mesquinha ou relutante: quanto mais for compartilhada, maior se tornará. Isso oferecerá a você um caminho para a imortalidade e o elevará a um ponto do qual ninguém será derrubado.

Esta é a única maneira de prolongar a mortalidade, até mesmo convertê-la à imortalidade. Homenagens, monumentos, o que quer que os ambiciosos tenham ordenado por decreto ou erguido em prédios públicos logo serão destruídos: não há nada que a passagem do tempo não irá demolir e remover. Mas não pode danificar as obras que a filosofia consagrou: nenhuma era as apagará, nenhuma idade as diminuirá. A próxima era e as vindouras só aumentarão a veneração por elas, uma vez que a inveja atua sobre o que está à mão, mas podemos admirar as coisas mais abertamente à distância.

Portanto, a vida do filósofo se estende amplamente: ele não está confinado à mesma fronteira que os outros. Só ele está livre das leis que limitam a raça humana, e todas as gerações o servem como se fosse um deus. Algum tempo se passou: ele o captura em suas lembranças. O tempo está presente: e ele o usa. O tempo que está por vir: ele o antecipa. Essa combinação de todos os tempos em um só lhe proporciona uma vida longa.

Mas a vida é muito curta e ansiosa para aqueles que esquecem o passado, negligenciam o presente e temem o futuro. Quando chegam ao fim, os pobres coitados percebem tarde demais que, durante todo esse tempo, estiveram preocupados em não fazer nada. E o fato de que às vezes invocam a morte não é prova de que suas vidas pareçam muito longas. Sua própria loucura os aflige com emoções inquietas que se lançam sobre as mesmas coisas que temem: muitas vezes anseiam pela morte porque a temem. Tampouco é uma prova de que estão vivendo há muito tempo, que muitas vezes o dia lhes parece longo, ou de que se queixam de que as horas passam devagar até a chegada da hora marcada para o jantar. Pois, assim que suas preocupações lhes falham, ficam inquietos, sem nada para fazer, sem saber como dispor de seu tempo livre ou como fazer o tempo passar. E assim eles estão ansiosos por algo mais para fazer, e todo o tempo que se passa é enfadonho: realmente, é como quando um *show* de gladiadores foi anunciado, ou eles estão ansiosos para a hora marcada para alguma outra exibição ou diversão; eles querem pular os dias que faltam até a data esperada. Qualquer adiamento do evento desejado é entediante para eles.

No entanto, o tempo de gozo real é curto e rápido e torna-se muito mais curto por sua própria culpa. Pois eles correm de um prazer para outro e não conseguem permanecer firmes em um desejo. Seus dias não são longos, mas odiosos: em contrapartida, quão curtas parecem ser suas noites, que passam bebendo ou dormindo com prostitutas! Daí a loucura dos poetas, que encorajam a fragilidade humana com suas histórias nas quais Júpiter, seduzido pelos prazeres do amor carnal, é visto dobrando a duração da noite. O que mais isso pode significar senão inflamar nossos vícios, quando eles citam os deuses para endossá-los, e como um precedente para nossas falhas eles oferecem e desculpam a devassidão dos deuses? Podem as noites, que eles compram tão caro, parecer muito curtas para essas pessoas? Eles perdem o dia esperando pela noite, e perdem a noite por temer o amanhecer. Mesmo seus prazeres são inquietantes e ansiosos por vários medos, e no auge de sua alegria o pensamento preocupante os rouba: "Quanto tempo isso vai durar?" Esse sentimento fez com que reis lamentassem seu poder, e eles não eram tão encantados com a grandeza de sua fortuna quanto eram aterrorizados com a ideia de seu fim inevitável. Quando o mais arrogante rei da Pérsia[2] desdobrou seu exército em vastas planícies e não pôde contá-lo, mas teve de medi-lo, ele chorou porque, em cem anos após aquele enorme exército, nenhuma alma estaria viva. Mas aquele que estava chorando era o mesmo homem que traria seu destino sobre eles e destruiria alguns no mar, alguns em terra, alguns em batalha, alguns em fuga, e em muito pouco tempo iria expulsar a todos aqueles por cujo centésimo ano ele temeu.

E o que dizer do fato de que até mesmo suas alegrias são inquietantes? A razão é que elas não são baseadas em causas firmes, mas são tão agitadas quanto infundadas quando surgem. Mas que tipo de tempos pode ser aquele, você acha, que eles próprios admitem ser miseráveis, já que até as alegrias pelas quais se exaltam e se elevam sobre a humanidade são tão corruptas?

Todas as maiores bênçãos criam ansiedade, e o destino nunca é menos confiável do que quando é mais justo. Para preservar a prosperidade, precisamos de outra prosperidade e, para apoiar as orações que deram certo, temos que fazer outras orações. O que quer que apareça por acaso em nosso caminho é instável e, quanto mais alto sobe, maior é a probabilidade de cair. Além disso, o que está fadado a cair não agrada ninguém. Portanto, é inevitável que a vida não seja apenas muito curta, mas muito infeliz para aqueles que adquirem com muito trabalho o que devem manter com mais trabalho ainda. Eles alcançam o que desejam laboriosamente; eles possuem o que alcançaram ansiosamente; e enquanto isso não levam em conta o tempo, que nunca mais irá voltar. Novas preocupações tomam o lugar das antigas, a esperança excita mais esperança, e ambição, mais ambição. Eles

---

[2] Xerxes era o rei da Pérsia entre 486 e 485 a.C. (N.T.)

não procuram o fim de seu sofrimento, mas simplesmente mudam a razão para ele. Descobrimos que nossas honras públicas são um tormento e gastamos mais tempo com as de outras pessoas. Paramos de trabalhar como candidatos e começamos a fazer campanha para os outros. Abandonamos os problemas de um promotor e assumimos os de um juiz. Um homem deixa de ser juiz e passa a ser o presidente de um tribunal. Ele envelheceu no trabalho de administrar a propriedade de terceiros por um salário, e então passa o tempo todo cuidando da sua própria propriedade. Marius foi dispensado da vida militar para se ocupar no consulado. Quintius se apressou para superar sua ditadura, mas será convocado de volta a ela pelo arado. Cipião irá contra os cartagineses antes de ter experiência suficiente para tal empreendimento. Vitorioso sobre Aníbal, vitorioso sobre Antíoco, distinto em seu próprio consulado e fiador do irmão; se ele próprio não o tivesse proibido, teria sido colocado ao lado de Júpiter. Mas a discórdia no Estado atormenta seu salvador, e depois de quando jovem ele ter desprezado honras dignas dos deuses, finalmente, quando velho, ele terá prazer em um exílio ostensivamente teimoso.

Sempre haverá motivos para ansiedade, seja devido à prosperidade, seja devido à miséria. A vida será regida por uma sucessão de preocupações: sempre desejaremos o lazer, mas nunca o desfrutaremos. E assim, meu caro Paulinus, saia da multidão e, como você foi sacudido pela tempestade mais do que sua idade merece, deve finalmente aposentar-se em um porto tranquilo. Considere quantas ondas você encontrou, quantas tempestades, algumas das quais você suportou na vida privada e outras você trouxe sobre você mesmo na vida pública. Sua virtude já foi mostrada por muito tempo, quando você era um modelo de diligência ativa: tente imaginar como ela se sairá no lazer. A maior parte da sua vida, certamente a melhor, foi dedicada ao Estado: dedique um pouco do seu tempo também a si mesmo. Não estou convidando você para a preguiça ociosa ou sem propósito, ou para afogar toda a sua energia natural no sono e nos prazeres que são tão caros às massas. Isso é não ter repouso.

Quando você estiver aposentado e desfrutando de paz de espírito, descobrirá que manter-se ocupado com novas atividades é mais importante do que todas as atividades que já realizou com tanta energia até agora. Na verdade, você está administrando as contas do mundo tão escrupulosamente quanto o faria com as de outra pessoa, e tão cuidadosamente quanto às suas, tão conscienciosamente quanto as do Estado. Você está ganhando afeto em um trabalho em que é difícil evitar a má vontade; mas acredite, é melhor entender a folha de balanço da própria vida do que de todo o comércio de milho. Deves recordar aquela tua mente vigorosa, supremamente capaz de lidar com as maiores responsabilidades, de uma tarefa certamente honrosa, mas pouco adequada à vida feliz; e deve considerar que todo o seu treinamento juvenil nos estudos liberais não foi dirigido para este fim, que muitos milhares de medidas de milho poderiam ser confiados a você com segurança.

Você prometeu coisas cada vez maiores para si mesmo. Não haverá homens carentes que sejam completamente dignos e trabalhadores. Animais de carga impassíveis são muito mais adequados para carregar cargas do que cavalos puro-sangue: quem já controlou sua nobre velocidade com uma carga pesada? Considere também quanta ansiedade você tem em se submeter a tal peso de responsabilidade: você está lidando com a fome humana. Um povo faminto não ouve a razão nem é amenizado por um tratamento justo ou influenciado por quaisquer apelos. Muito recentemente, poucos dias após a morte de Caio César, ainda se sentindo muito chateado (se é que os mortos têm sentimentos) porque viu que o povo romano ainda estava sobrevivendo, com fornecimento de comida para sete ou no máximo oito dias, enquanto ele estava construindo pontes com barcos e brincando com os recursos do império, enfrentamos a pior de todas as aflições, mesmo para os sitiados: a falta de mantimentos.

Sua imitação de um rei estrangeiro louco condenado em seu orgulho quase custou a destruição da cidade e a fome e o colapso universal que se seguiu a ela. O que então devem ter sentido aqueles que estavam encarregados do suprimento de milho quando foram ameaçados com pedras, armas, fogo, e o próprio Caio? Com um enorme fingimento, eles conseguiram esconder o grande mal que se escondiam nos órgãos vitais do Estado, e com certeza eles tinham um bom motivo para isso. Pois certas enfermidades devem ser tratadas enquanto o paciente as desconhece: saber de sua doença já causou a morte de muitos.

Você deve retirar-se para essas atividades que são mais silenciosas, mais seguras e mais importantes. Você acha que é a mesma coisa se você está supervisionando a transferência do milho para os celeiros, protegendo-os da desonestidade e do descuido dos carregadores, e tomando cuidado para que não fique úmido e depois estragado pelo calor, e que seja registrado medida e peso; ou se você iniciar esses estudos sagrados e elevados, com os quais aprenderá a substância de Deus, sua vontade, seu modo de vida, sua forma; que destino aguarda sua alma; onde a natureza nos coloca para descansar quando libertados de nossos corpos; qual é a força que sustenta todos os elementos mais pesados deste mundo no centro, suspende os elementos leves acima, carrega o fogo para a parte mais elevada e coloca as estrelas em movimento com suas mudanças adequadas, e aprende outras coisas em sucessão que são completas de maravilhas tremendas? Você realmente deveria deixar o chão e voltar seus pensamentos para esses estudos.

Agora, enquanto o sangue está quente, você deve abrir caminho com vigor para coisas melhores. Nesse tipo de vida você encontrará muito que vale a pena estudar: o amor e a prática das virtudes, o esquecimento das paixões, o conhecimento de como viver e morrer e uma vida de profunda tranquilidade. Na verdade, o estado de todos os que estão preocupados é miserável, mas os mais miseráveis são aqueles que não estão trabalhando nem mesmo em suas próprias preocupações, mas devem regular seu sono pelo de outrem, e sua caminhada pelo passo de outrem, e obedecer às ordens dos mais livres para todas as coisas, amar e odiar. Se essas pessoas quiserem saber o quão curta é sua vida, deixe-as refletir o quão pequena é a parte delas na vida. Portanto, quando vir um homem repetidamente vestir o manto de ofício, ou cujo nome é frequentemente falado no Fórum, não o inveje: essas coisas são conquistadas à custa de uma vida. Para que um ano possa ser datado de seus nomes, eles perderão todos os seus próprios anos. A vida deixou alguns famintos lutando no início de suas carreiras, antes que pudessem forçar o caminho para o auge de sua ambição. Alguns homens, depois de rastejarem por mil indignidades até a dignidade suprema, tiveram o estranho e sombrio pensamento de que todos os seus trabalhos foram apenas por causa de um epitáfio. Alguns tentam ajustar sua extrema velhice a novas esperanças como se fossem jovens, mas descobrem que sua fraqueza os atrapalha em meio aos esforços que os sobrecarregam. É vergonhoso ver um homem idoso ficar sem fôlego enquanto pleiteia em tribunal por litigantes que lhe são totalmente estranhos e tenta ganhar o aplauso dos espectadores ignorantes. É vergonhoso ver um homem desmoronar no meio de suas obrigações, mais desgastado por seu estilo de vida do que por seu trabalho. Vergonhoso também é quando um homem morre no meio de uma revisão de suas contas, e seu herdeiro, que há muito aguardava, sorri de alívio.

Não resisto a contar-lhe um caso que me ocorre. Sexto Turânio era um homem velho conhecido por ser escrupuloso e diligente que, quando tinha noventa anos, a seu próprio pedido foi dispensado de seu cargo por Caio César. Ele então ordenou que fosse deitado em sua cama e lamentado pela família reunida como se ele estivesse morto. A casa lamentou o divertimento de seu antigo senhor e não cessou seu luto até que seu antigo emprego lhe fosse devolvido. É realmente tão agradável morrer exercendo sua função? Esse é o sentimento de muitas pessoas: o desejo pelo trabalho supera a capacidade de fazê-lo. Eles lutam contra sua própria fraqueza corporal e consideram a velhice como uma privação por nenhum outro motivo a não ser que os coloca na prateleira. A lei não torna um homem um soldado após os cinquenta ou um senador após os sessenta: os homens acham mais difícil ganhar lazer consigo mesmos do que com a lei. Enquanto isso, enquanto roubam e são roubados, enquanto perturbam a paz um do outro, enquanto se tornam infelizes, suas vidas passam sem satisfação, sem prazer, sem melhora mental.

Ninguém mantém a morte em vista, ninguém se abstém de esperanças que parecem longe no futuro; na verdade, algumas pessoas até mesmo organizam coisas que estão além da vida, como tumbas enormes, dedicatórias em prédios públicos, *shows* para seus funerais e enterros ostentosos. Mas, na verdade, os funerais dessas pessoas deveriam ser conduzidos com tochas e velas de cera, como se tivessem vivido a mais curta das vidas.

Um consolo para Hélvia

Querida mãe, muitas vezes tive o desejo de consolá-la e muitas vezes eu o contive. Muitas coisas me encorajaram a me aventurar a fazer isso. Primeiro, pensei que estaria deixando de lado todos os meus problemas quando pelo menos tivesse enxugado as suas lágrimas, mesmo que não as pudesse impedir. Então, não duvidei de que teria mais poder para erguer você se primeiro eu tivesse me levantado. Além disso, temia que, embora o destino fosse conquistado por mim, ele pudesse conquistar alguém próximo a mim. Então, estancando meu próprio ferimento com a mão, estava fazendo o possível para rastejar para a frente para curar as suas feridas.

Em contrapartida, houve considerações que atrasaram meu propósito. Percebi que sua dor não deveria ser incomodada enquanto era fresca e agonizante, para o caso de as próprias consolações a despertarem e inflamarem: para uma doença também nada é mais prejudicial do que um tratamento prematuro. Então, eu estava esperando até que sua dor por si mesma perdesse a força e, sendo abrandada pelo tempo para suportar remédios, se deixasse tocar e manusear.

Além disso, embora eu tenha consultado todas as obras escritas pelos autores mais famosos para controlar e moderar o luto, não pude encontrar nenhum exemplo de alguém que tivesse consolado seus próprios entes queridos quando ele próprio era o sujeito de seu luto. Portanto, nessa situação sem precedentes, hesitei, temendo não estar oferecendo consolo, mas mais irritação.

Considere, também, que um homem que levanta a cabeça da própria pira funerária deve precisar de um vocabulário novo, não extraído das condolências do dia a dia, para confortar seus entes queridos. Mas toda dor grande e avassaladora deve tirar a capacidade de escolher as palavras, visto que muitas vezes abafa a própria voz.

De qualquer forma, vou tentar o meu melhor, não confiando na minha esperteza, mas porque, sendo eu mesmo o consolador, posso ser o conforto mais eficaz. Como você nunca me recusou nada, espero que não me recuse isso, pelo menos (embora toda dor seja teimosa), para permitir que eu ponha um limite à sua desolação. Considere o quanto eu prometi a mim mesmo por sua indulgência. Não tenho dúvida de que terei mais influência sobre você do que sua dor, do que nada tem mais influência sobre os miseráveis. Portanto, para não entrar na batalha com ela de uma vez, primeiro vou apoiá-la e oferecer-lhe muito incentivo: vou expor e reabrir todas as feridas que já sararam.

Alguém objetará: "Que tipo de consolo é esse, para trazer de volta males esquecidos e colocar a mente em vista de todas as suas tristezas quando ela mal pode suportar uma?". Mas que ele considere que os distúrbios que são tão perigosos que ganharam terreno apesar do tratamento podem geralmente ser tratados por métodos opostos. Portanto, oferecerei à mente todas as suas dores, todas as suas vestes de luto: esta não será uma receita suave para a cura, mas o cautério e a faca. O que devo alcançar? Que uma alma que venceu tantas misérias se envergonhe de se preocupar com mais uma ferida em um corpo que já tem tantas cicatrizes. Portanto, que continuem chorando e lamentando aquelas pessoas cujas mentes autoindulgentes foram enfraquecidas pela longa prosperidade, que elas entrem em colapso sob a ameaça dos ferimentos mais triviais; mas que aqueles que passaram todos os seus anos sofrendo desastres suportem as piores aflições com uma firmeza corajosa e resoluta.

O infortúnio eterno tem uma bênção: termina por endurecer aqueles a quem constantemente aflige. O destino não lhe deu trégua nas mais terríveis tristezas, nem mesmo com exceção do dia de seu nascimento. Assim que você nasceu, não, mesmo durante o nascimento, você perdeu sua mãe, e no limiar da vida você foi exposta em certo sentido. Você cresceu sob os cuidados de uma madrasta e realmente a forçou a se tornar uma mãe de verdade, mostrando-lhe toda a deferência e devoção que pode ser vista até mesmo em uma filha. Mesmo assim, ter uma boa madrasta custa muito a cada criança. Você perdeu seu tio, o mais gentil, o melhor e o mais corajoso dos homens, quando você esperava por sua chegada; e, para que o destino não diminuísse sua crueldade dividindo-a, dentro de um mês você enterrou seu querido marido, com quem teve três filhos. Esta tristeza foi anunciada a você quando você já estava de luto e quando, de fato, todos os seus filhos estavam ausentes, como se seus infortúnios estivessem concentrados de propósito naquela época, de modo que sua dor não tivesse onde buscar alívio.

Eu deixo de lado todos os perigos, todos os medos que você suportou enquanto eles o atacavam incessantemente. Mas, recentemente, no mesmo colo de onde você largou três netos, recebeu de volta os ossos desses três netos. Vinte dias depois de enterrar meu filho, que morreu enquanto você o abraçava e beijava, você soube que eu havia sido levado embora. Era só o que faltava a você, sofrer pelos vivos. De todas as feridas que já perfuraram seu corpo, esta é, admito, a pior. Não apenas rompeu a pele, mas cortou o peito e os órgãos vitais.

Mas, assim como os recrutas, mesmo quando feridos superficialmente, gritam alto e temem ser manipulados por médicos mais do que pela espada, enquanto os veteranos, mesmo que gravemente feridos, pacientemente e sem gemer, permitem que suas feridas sejam limpas como se seus corpos não pertencessem a eles; então agora você deve se oferecer bravamente para o tratamento.

Venha, ponha de lado os gemidos e lamentações e todas as outras manifestações barulhentas usuais da tristeza feminina. Pois todas as suas tristezas foram desperdiçadas com você, se você ainda não aprendeu como ser infeliz. Pareço ter lidado com você com ousadia? Não mantive longe de você nenhum de seus infortúnios, mas empilhei-os todos diante de você. Eu fiz isso corajosamente, pois me dediquei a vencer sua dor, não a enganá-la. Mas farei isso, penso eu, em primeiro lugar, se eu puder mostrar que não estou sofrendo por aquilo que eu poderia ser chamado de miserável, quanto mais tornar meus relacionamentos em sofrimento; então, se eu me voltar para você e mostrar que seu destino, que depende totalmente do meu, também não deve ser tão doloroso.

Em primeiro lugar, tratarei do fato, que o seu amor anseia ouvir, de que não estou sofrendo nenhuma aflição. Vou deixar claro, se puder, que essas mesmas circunstâncias que você pensa que estão me esmagando podem ser suportadas; mas, se você não puder acreditar nisso, pelo menos ficarei mais satisfeito comigo mesmo por estar feliz em condições que normalmente tornam os homens miseráveis. Não há necessidade de acreditar nos outros a meu respeito: estou lhe dizendo com firmeza que não sou um sofredor, para que você não seja agitada pela incerteza. Para tranquilizá-la ainda mais, devo acrescentar que não posso nem mesmo ser feito infeliz.

Nascemos em circunstâncias que seriam favoráveis se não as abandonássemos. Era intenção da natureza que não houvesse necessidade de grandes equipamentos para uma vida boa: todo indivíduo pode fazer-se feliz. Os bens externos são de importância trivial e sem muita influência em qualquer direção: a prosperidade não eleva o sábio, e a adversidade não o deprime. Pois ele sempre fez o esforço de confiar tanto quanto possível em si mesmo e obter todo prazer de si mesmo.

E daí? Estou me chamando de sábio? Certamente, não. Pois, se eu pudesse reivindicar isso, não apenas estaria negando que sou um miserável, mas também estaria afirmando que sou o mais afortunado de todos os homens e me aproximando de Deus. Como está, fazendo o que é suficiente para aliviar todas as misérias, eu me rendi aos homens sábios e, como ainda não sou forte o suficiente para me ajudar, fui para outro campo, quero dizer, aqueles que podem facilmente proteger a si mesmos e seus seguidores. Eles me mandaram tomar uma posição firme, como uma sentinela de guarda, e prever todos os ataques e todas as investidas do destino muito antes de me atingirem. Ele cai pesadamente sobre aqueles a quem é inesperado; o homem que está sempre esperando por ele facilmente resiste. Pois a chegada de um inimigo também espalha aqueles que ele pega desprevenidos; mas aqueles que se prepararam com antecedência para o conflito que se aproxima, sendo devidamente arranjados e equipados, facilmente resistem ao primeiro ataque, que é o mais violento.

Nunca confiei no destino, mesmo quando ele parecia oferecer a paz. Todas aquelas bênçãos que ele gentilmente me concedeu, dinheiro, cargo público, influência, eu releguei a um lugar de onde ele poderia reivindicá-las de volta sem me incomodar. Eu mantive uma grande distância entre mim e elas, com o resultado de que ele um dia as levasse embora, não as arrancasse de mim. Nenhum homem foi destruído pelos golpes do destino, a menos que primeiro tenha sido enganado pelos favores dele. Aqueles que amaram seus bens como se fossem seus para sempre, que queriam ser afetados por causa deles, são abatidos e lamentam quando os prazeres falsos e transitórios abandonam suas mentes vãs e infantis, ignorantes de todo prazer estável. Mas o homem que não se ensoberbece nos bons tempos também não entra em colapso quando eles mudam. Sua fortaleza já foi testada, e ele mantém uma mente invicta em face de qualquer condição: pois, no meio da prosperidade, ele tentou sua própria força contra a adversidade.

Portanto, nunca acreditei que houvesse algum bem genuíno nas coisas pelas quais todos oram; além do mais, encontrei-os vazios e pintados de cores vistosas e enganosas, sem nada dentro para combinar com sua aparência. E agora, nesses chamados males, não encontro nada tão terrível e cruel como a opinião geral ameaçava. Certamente, a própria palavra "exílio" agora chega aos ouvidos com mais severidade por meio de uma espécie de convicção e crença popular e atinge o ouvinte como algo sombrio e detestável. Pois esse é o veredito do povo, mas os sábios em geral rejeitam os decretos do povo.

Portanto, deixando de lado o julgamento da maioria que se deixa levar pela aparência superficial das coisas, quaisquer que sejam os motivos para crer nela, examinemos a realidade do exílio. Claramente uma mudança de lugar. Não devo parecer restringir sua força e remover sua pior característica, então concordo que essa mudança de lugar traz consigo as desvantagens da pobreza, desgraça e desprezo. Tratarei disso mais tarde; enquanto isso, desejo primeiro examinar que angústia a própria mudança de lugar envolve. "É insuportável ser privado de seu país." Venha agora, olhe para esta massa de pessoas que os edifícios da imensa Roma dificilmente podem conter: a maior parte dessa multidão está privada de seu país. Eles se reuniram para sair de suas cidades e colônias, na verdade de todo o mundo, alguns trazidos pela ambição, alguns pela obrigação de cargos públicos, alguns pelos deveres de um enviado, alguns por autoindulgência, buscando um lugar convenientemente rico em vícios, alguns por amor aos estudos liberais, outros pelos *shows* públicos; alguns foram atraídos pela amizade, alguns, por sua própria energia, que encontrou um amplo campo para exibir suas qualidades; alguns vieram vender sua beleza, outros, sua eloquência. Absolutamente todo tipo de pessoa se apressou para dentro da cidade, que oferece grandes recompensas por virtudes e vícios. Faça uma lista de todos eles e pergunte a cada um de onde ele vem: você verá que a maioria deles deixou suas casas e veio para uma cidade muito grande e bonita, mas não a sua cidade. Afaste-se então desta cidade, que de certo modo se pode dizer que é de todos, e circule por todas as outras: em cada uma, grande parte da população é imigrante.

Passe adiante, por aquelas cuja posição adorável e conveniente atrai grande número, e reveja lugares desertos e ilhas rochosas, Sciathus e

Seriphus, Gyara e Cossura: você não encontrará nenhum lugar de exílio onde alguém não se demore simplesmente porque quer ficar ali. O que poderia ser encontrado tão desnudo e com uma queda tão íngreme de todos os lados como esta rocha? O que é mais estéril em relação aos seus recursos? O que poderia ser mais selvagem em relação ao seu povo? O que poderia ser mais acidentado em relação à sua geografia? O que há de mais intemperante em relação ao seu clima? Mesmo assim, com tudo isso, mais estrangeiros do que nativos vivem ali.

Assim, até agora a própria mudança de localidade tem sido um sofrimento, que até mesmo este lugar tem aliciado algumas pessoas de sua terra natal. Já conheci pessoas que dizem que existe uma espécie de inquietação inata no espírito humano e um desejo de mudar de residência; pois o homem é dotado de uma mente que é mutável e instável: em nenhum lugar sossegada, ela se lança e dirige seus pensamentos para todos os lugares conhecidos e desconhecidos, um andarilho que não pode suportar o repouso e se deleita principalmente com a novidade.

Isso não o surpreenderá se você considerar sua fonte original. Não foi feita de um material pesado e terreno, mas desceu daquele espírito celestial: mas as coisas celestiais estão por natureza sempre em movimento, fugindo e impelidas com extrema rapidez. Veja os planetas que iluminam o mundo: nenhum está em repouso. O sol se desloca constantemente, movendo-se de um lugar para outro, e, embora gire com o universo, seu movimento é, no entanto, oposto ao do próprio firmamento: ele corre por todos os signos do zodíaco e nunca para; seu movimento é eterno enquanto viaja de um ponto a outro. Todos os planetas se movem para sempre e passam: conforme ordenou a lei restritiva da natureza, eles nascem de um ponto ao outro. Quando por períodos fixos de anos eles completarem seus cursos, eles começarão novamente em seus circuitos anteriores. Quão tolo, então, imaginar que a mente humana, que é formada dos mesmos elementos que os seres divinos, opõe-se ao movimento e à mudança de morada, enquanto a natureza divina encontra prazer e até mesmo autopreservação na mudança contínua e muito rápida.

Bem, agora, mude sua atenção das questões celestiais para as humanas e você verá que nações e povos inteiros mudaram de morada. O que cidades gregas estão fazendo em meio aos territórios bárbaros? Por que ouvimos a língua macedônia entre indianos e persas? A Cítia e toda aquela vasta região de tribos ferozes e indomáveis revelam cidades aqueias estabelecidas nas margens do Ponto. As pessoas não foram impedidas de migrar para lá pelo inverno infinitamente rigoroso ou pelo caráter selvagem dos nativos que combinavam com seu clima. Há uma multidão de atenienses na Ásia; Mileto enviou por todo o lugar gente suficiente para colonizar setenta e cinco cidades; toda a costa italiana, banhada pelo mar inferior, já foi a Grande Grécia. A Ásia reivindica os etruscos como seus; os Tirianos vivem na África, os fenícios, na Espanha; os gregos penetraram em Gaui, e os Gauis, na Grécia; os Pireneus não bloquearam a passagem dos alemães, por meio de caminhos sem trilha, por território desconhecido se aventurou a inquietação dos homens, e atrás deles vieram suas esposas e filhos e pais envelhecidos.

Alguns deles, impelidos em suas longas andanças, não escolheram seu objetivo deliberadamente, mas pelo cansaço instalaram-se no lugar mais próximo; outros, pela força das armas, estabeleceram seus direitos em um país estrangeiro. Algumas tribos morreram afogadas enquanto procuravam regiões desconhecidas; outras se estabeleceram onde estavam presos por ficar sem suprimentos. Nem todos têm o mesmo motivo para abandonar uma pátria por outra. Alguns, escapando da destruição de suas cidades pelo ataque inimigo, foram levados para outro território quando perderam o seu; alguns foram banidos por conflitos civis; outros foram enviados para aliviar o fardo da superpopulação; outros fugiram de doenças ou terremotos constantes ou de algumas deficiências intoleráveis em seu solo árido; outros foram tentados por relatos exagerados de uma nova costa fértil. Diferentes razões levaram diferentes povos a deixar suas casas; mas isso pelo menos é claro, nenhum permaneceu onde nasceu.

A raça humana está sempre em movimento: em um mundo tão grande, todos os dias há alguma mudança, novas cidades são fundadas e novos nomes de nações nascem enquanto os anteriores desaparecem ou são absorvidos por uma mais forte. Mas o que mais são todas essas migrações nacionais do que o banimento de um povo? Por que devo arrastá-los por todo o ciclo? Por que se preocupar em mencionar Antenor, que fundou Patavium, e Evander, que estabeleceu o reino Arcadian nas margens do Tibre? E quanto a Diomedes e os outros, tanto conquistadores quanto conquistados, que foram espalhados em terras estrangeiras pela Guerra de Troia? Ora, o próprio Império Romano se lembra de um exílio como seu fundador, um homem que foi expulso quando sua terra natal foi capturada e, levando alguns sobreviventes, foi forçado pelo medo do vencedor a fazer uma longa jornada que o trouxe para a Itália. Quantas colônias esse povo do rum enviou para todas as províncias! – onde quer que os romanos tenham conquistado, eles vivem. O povo ofereceu-se como voluntário para esse tipo de emigração, e até mesmo os idosos que saíam de seus altares seguiram os colonos para o exterior

O ponto não precisa de mais ilustração, mas vou apenas acrescentar uma que o atinge bem no alvo: esta própria ilha muitas vezes mudou seus habitantes. Para deixar de lado os eventos anteriores que estão obscurecidos pela Antiguidade, os gregos que agora vivem em Massilia depois de deixar Phocis se estabeleceram primeiro nesta ilha. Não é claro o que os afastou dela, se o clima severo ou estar à visão do poder superior da Itália, ou a falta de portos. É evidente que o motivo não era a selvageria dos habitantes, uma vez que se estabeleceram entre os que eram então os povos mais ferozes e incivilizados da Gália. Posteriormente, os ligurianos atravessaram para a ilha, e os espanhóis também, como fica claro pela semelhança de seus costumes: pois os corsos usam o mesmo tipo de cobertura para a cabeça e sapatos que os cantábricos, e algumas de suas palavras são as mesmas, apenas algumas, pois sua língua como um todo, por associação com gregos e ligurianos, perderam seus elementos nativos. Em seguida, duas colônias de cidadãos romanos foram levadas para lá, uma por Marius e outra por Sulla: tantas vezes a população desta rocha árida e espinhosa mudou!

Em suma, dificilmente você encontrará um único país ainda habitado por seus habitantes nativos originais: em todos os lugares as pessoas são de origens mistas e importadas. Um grupo seguiu o outro: um ansiava pelo que o outro desprezava; um foi expulso de onde havia expulsado outros. Então o destino decretou que nada mantém sua condição para sempre. Para compensar a mudança real de lugar e o esquecimento dos outros inconvenientes ligados ao exílio, Varro, o mais instruído dos romanos, considera que temos este remédio suficiente, que, aonde quer que cheguemos, temos a mesma ordem da natureza para lidar com ela. Marcus Brutus acha que isso é o suficiente, que os exilados podem carregar consigo suas próprias virtudes.

Mesmo que alguém pense que esses pontos considerados separadamente são insuficientes para consolar o exilado, ele admitirá que combinados têm grande peso. Pois quão pouco perdemos quando as duas melhores coisas de todas nos acompanharão aonde formos, a natureza universal e nossa virtude individual.

Acredite em mim, essa foi a intenção de quem formou o universo, seja o deus todo-poderoso, ou a razão incorpórea criando obras poderosas, ou o espírito divino penetrando todas as coisas, da maior à menor, com pressão uniforme, ou o destino e a sequência imutável de causalidade, esta, eu digo, era a intenção, que apenas os mais inúteis de nossos bens deveriam chegar ao poder de outro. Tudo o que é melhor para um ser humano está fora do controle humano: não pode ser dado nem retirado.

O mundo, você vê, a maior e mais gloriosa criação da natureza, e a mente humana que o contempla e se maravilha, e é a parte mais esplêndida dele, esses são nossos bens eternos e permanecerão conosco enquanto nós permanecermos. Portanto, ansiosos e retos, vamos apressar com passos corajosos aonde quer que as circunstâncias nos levem, e vamos viajar por qualquer país: não pode haver lugar de exílio dentro do mundo, já que nada no mundo é estranho aos homens. De qualquer ponto da superfície da terra que você olhe para o céu, a mesma distância está entre os reinos dos deuses e dos homens.

Consequentemente, desde que meus olhos não sejam retirados daquele espetáculo, do qual eles nunca se cansam; desde que eu possa olhar para o sol e a lua e para os outros planetas; contanto que eu possa rastrear seus nascimentos e ocasos, seus períodos e as causas de suas viagens mais rápidas ou mais lentas; contanto que eu possa ver todas as estrelas que brilham à noite, algumas fixas, outras não viajando para longe, mas circulando dentro da mesma área; algumas repentinamente disparando, e outras ofuscando os olhos com fogo espalhado, como se estivessem caindo, ou deslizando com um longo rastro de luz resplandecente; contanto que eu possa ter comunhão com eles e, na medida em que os humanos possam associá-los com o divino, e contanto que eu possa manter minha mente sempre voltada para cima, lutando por uma visão de coisas semelhantes, o que importa em que terreno eu esteja? "Mas este país não é fértil em árvores viçosas ou frutíferas; nenhum rio grande e navegável o irriga com seus canais; não produz nada que outras nações queiram, sendo apenas fértil o suficiente para sustentar seus próprios habitantes. Nenhum mármore valioso é extraído aqui, nem veios de ouro e prata são extraídos". Insignificante é a mente que se deleita nas coisas terrenas: ela deve ser conduzida para aquelas coisas que aparecem igualmente em todos os lugares, em todos os lugares igualmente brilhantes. Deve-se considerar também que as coisas terrenas atrapalham os bens genuínos devido a uma crença rebelde em bens falsos. Quanto mais as pessoas estendem suas colunatas, mais alto elas constroem suas torres, mais amplas elas estendem suas caminhadas, quanto mais fundo elas cavam suas grutas de verão, quanto mais maciçamente elas levantam os telhados de seus refeitórios, tanto mais haverá para atrapalhar a visão do céu.

O destino o lançou em uma terra onde o abrigo mais luxuoso é uma cabana. Na verdade, você tem um espírito mesquinho que se consola mesquinhamente; se você colocar isso corajosamente, é porque você sabe sobre a cabana de Rômulo. Diga "Esta cabana humilde dá abrigo. Suponho que às virtudes. Em breve, ela será mais elegante do que qualquer templo quando a justiça for vista em ação, e a temperança, a sabedoria, a piedade, um sistema para a distribuição correta de todos os deveres e o conhecimento do homem e de Deus. Nenhum lugar é estreito que possa conter esta assembleia de tão grandes virtudes; nenhum exílio é penoso quando você pode ter esta companhia com você".

Em seu tratado *Sobre a virtude*, Brutus diz que viu Marcelo no exílio em Mitilene, vivendo tão feliz quanto a natureza humana permite, e nunca mais interessado em estudos liberais do que naquela época. E acrescenta que, quando estava prestes a voltar sem Marcelo, parecia que ele próprio ia para o exílio em vez de deixar o outro no exílio. Quão mais afortunado foi Marcelo naquela época em que ganhou o favor de Brutus para seu exílio do que quando ganhou o favor do Estado para seu consulado! Que homem era aquele que fazia com que alguém se sentisse exilado porque ele estava abandonando um exílio! Que homem ele era, para ter conquistado a admiração de um homem a quem até mesmo seu parente Catão tinha de admirar! Brutus também diz que Caio César passou por Mitilene porque não suportou a visão de um grande homem em desgraça. De fato, o Senado obteve sua destituição por petição pública: eles estavam tão ansiosos e tristes que todos pareciam compartilhar dos sentimentos de Brutus naquele dia, e suplicar não por Marcelo, mas por si mesmos, para o caso de serem exilados se privados dele.

Mas ele conseguiu muito mais naquele dia em que Brutus não suportou partir, nem César vê-lo no exílio. Pois ambos lhe deram testemunhos: Brutus lamentou voltar sem Marcelo, e César corou. Você pode duvidar de que Marcelo, sendo o grande homem que foi, muitas vezes se encorajou a suportar seu exílio com serenidade? "Estar sem seu país não é miséria: você se educou profundamente com seus estudos para saber que para um homem sábio todo lugar é seu país. Além disso, não esteve o próprio homem que causou seu exílio ausente de seu país por dez anos consecutivos? Sem dúvida, o motivo era ampliar seus domínios, mas ele certamente estava ausente. Veja, agora ele é convocado para a África, que está cheia de ameaças de guerras adicionais; para a Espanha, que está revivendo suas forças destruídas pela derrota; ao traiçoeiro Egito, em suma, ao mundo inteiro que está atento a uma oportunidade contra o império atingido. Qual problema ele deve enfrentar primeiro? Em que lado deve posicionar-se? Seu próprio curso vitorioso o levará por todo o mundo. Que as nações o honrem e o adorem; viva contente com Brutus como seu admirador." Bem fez Marcelo ao suportar seu exílio, nem sua mudança de residência causou qualquer mudança em sua mente, embora a pobreza o acompanhasse.

Mas não há mal na pobreza, como sabe qualquer um que ainda não tenha chegado ao estado lunático da ganância e da luxúria, que estragam tudo. Pois quão pouco é necessário para sustentar um homem! E a quem pode a riqueza fazer falta, se tem alguma virtude? No que me diz respeito, sei que não perdi riquezas, mas distrações. As necessidades do corpo são poucas: ele quer se livrar do frio, banir a fome e a sede com nutrição; se ansiamos por algo mais, estamos nos esforçando para servir aos nossos vícios, não às nossas necessidades. Não precisamos vasculhar todos os oceanos, ou carregar nossos estômagos com a matança de animais, ou colher moluscos das praias desconhecidas do mar mais distante.

Que deuses e deusas destruam aqueles cuja luxúria ultrapassa os limites de um império, que já desperta inveja. Eles procuram abastecer suas cozinhas pretensiosas caçando além do Phasis, e não se envergonham de pedir pássaros aos Partas, dos quais ainda não exigimos vingança. De todos os lados eles reúnem tudo que é familiar a um glutão exigente. Do mar mais distante são trazidos alimentos que seus estômagos, enfraquecidos por uma dieta voluptuosa, dificilmente podem aceitar. Vomitam para comer e comem para vomitar, e os banquetes, que vasculham o mundo inteiro para conseguir, nem mesmo se dignam a digerir. Se alguém despreza tudo isso, que mal pode a pobreza lhe fazer? Se ele anseia por isso, a pobreza lhe faz bem: pois contra sua vontade ele está sendo curado, e se mesmo sob compulsão ele não toma seus remédios, por um tempo pelo menos sua incapacidade de ter essas coisas parece a cura sobre sua vontade.

Caio César, que eu acho que a natureza produziu como um exemplo do efeito da maldade suprema em uma posição suprema, jantou em um dia ao custo de dez milhões de sestércios; e, embora ajudado nisso pela criatividade de todos, ele mal conseguia descobrir como gastar o tributo de três províncias em um jantar. Pobres desgraçados, cujo apetite só é tentado por alimentos caros! No entanto, não é um sabor requintado ou algum efeito delicioso no paladar que os torna caros, mas sua escassez e a dificuldade de adquiri-los. Do contrário, se essas pessoas concordassem em voltar ao bom senso, onde está a necessidade de todas essas habilidades que servem ao ventre? Qual a necessidade de importar, ou devastar as florestas, ou saquear o oceano? Em todos os lugares os alimentos estão disponíveis, os quais a natureza distribuiu generosamente; mas os homens passam por eles como se estivessem cegos para ela e vasculham todos os países, cruzam os mares e aguçam o apetite com um gasto muito grande, quando com pouco custo poderiam satisfazê-lo. Quero dizer a eles: 'Por que vocês lançam seus navios? Por que você arma suas equipes contra feras e homens? Por que você vasculha o mundo em tamanho pânico? Por que você acumula riqueza sobre riqueza? Você realmente deve considerar quão pequenos são seus corpos. Não é loucura e a pior forma de perturbação querer tanto, embora possa manter tão pouco? Portanto, embora você possa aumentar sua renda e ampliar suas propriedades, você nunca aumentará a capacidade de seus corpos. Embora seus negócios possam ir bem e a guerra lhe traga lucro, embora você possa caçar e juntar sua comida de todos os lados, você não terá onde armazenar seus suprimentos. Por que você procura tantas coisas?

Certamente, eram infelizes nossos ancestrais, cuja virtude até agora sustenta nossos vícios, e eles conseguiam seu alimento com as próprias mãos, dormiam no chão, suas moradas ainda não brilhavam com ouro, nem seus templos com pedras preciosas, e assim, naqueles dias, eles faziam juramentos solenes pelos deuses de barro e, tendo-os invocado, voltavam ao inimigo para a morte certa em vez de quebrar sua palavra. Certamente, nosso ditador, que deu audiência aos enviados samnitas, enquanto com suas próprias mãos cozinhava o tipo mais simples de comida (a mão que já havia frequentemente golpeado o inimigo e colocado uma coroa de louros no colo do Capitolino Júpiter), viveu menos feliz em nosso tempo do que Apício, que, na cidade desde então, onde filósofos uma vez foram banidos como corruptores da juventude, poluiu a época com seus ensinamentos como professor de culinária. Vale a pena ouvir o que aconteceu com ele. Depois de passar cem milhões de sestércios em sua cozinha, de beber em cada uma de suas festas todos aqueles presentes imperiais e a enorme receita do Capitólio, então, pela primeira vez, foi forçado pelo peso das dívidas a examinar suas contas. Calculou que teria dez milhões de sestércios restantes e que viver com dez milhões seria passar fome: então ele se envenenou. Que luxúria, se dez milhões significam pobreza! Como então você pode pensar que o que importa é a quantidade de dinheiro, e não a atitude da mente? Alguém temia ter dez milhões, e do que os outros oram para conseguir ele escapou por envenenamento. Mas, de fato, para um homem de mentalidade tão pervertida, aquele último gole foi a melhor coisa para ele. Foi quando ele não estava apenas se divertindo, mas se gabando de seus enormes banquetes, quando estava exibindo seus vícios, quando chamava a atenção do público para suas exibições vulgares, quando tentava os jovens a imitá-lo (que mesmo sem esses mal exemplos, são naturalmente impressionáveis), então era que ele já estava realmente comendo e bebendo venenos.

Tal é o destino daqueles que medem a riqueza não pelo padrão da razão, cujos limites são fixados, mas pelo de um estilo de vida vicioso governado por caprichos ilimitados e incontroláveis. Nada satisfaz a ganância, mas mesmo um pouco satisfaz a natureza. Portanto, a pobreza de um exilado não traz dificuldades; pois nenhum lugar de exílio é tão árido que não possa sustentar abundantemente um homem. "Mas", alguém pode dizer, "o exilado vai sentir falta de suas roupas e de casa". Destes também ele sentirá falta apenas na medida em que precisar deles, e não terá casa nem abrigo; pois o corpo necessita tão pouco de proteção quanto de alimento.

A natureza também não tornou laborioso nenhum dos fundamentos do homem. Mas ele precisa ter roupas ricamente tingidas de roxo, tecidas com fios de ouro e decoradas com padrões multicoloridos: a culpa é dele, não da natureza, se ele se sente pobre. Mesmo se você devolver a ele tudo o que ele perdeu, perderá seu tempo; pois, assim que voltar do exílio, sentirá uma carência maior em comparação com seus desejos do que ele sentia como um exilado em comparação com suas posses anteriores. Mas ele deve ter móveis reluzentes com vasos de ouro e placas de prata antigas feitas por artistas famosos, bronze valioso porque alguns lunáticos o querem, uma multidão de escravos que lotaria uma casa por maior que fosse, bestas de carga com corpos inchados de alimentação forçada, mármores de todas as terras: embora ele os empilhe, eles nunca aplacarão sua alma insaciável; assim como nenhuma quantidade de fluido satisfará alguém cujo anseio não surge da falta de água, mas da febre interna ardente: pois isso não é uma sede, mas uma doença. Isso não se aplica apenas ao dinheiro ou à comida: a mesma característica é encontrada no desejo que surge não de uma falta, mas de um vício. Por mais que você acumule para isso, não marcará o fim da ganância, apenas um estágio nela.

Assim, o homem que se restringe aos limites impostos pela natureza não perceberá a pobreza; o homem que ultrapassar esses limites será perseguido pela pobreza, por mais rico que seja. As necessidades da vida são encontradas até mesmo em lugares de exílio; os supérfluos, nem mesmo nos grandes reinos. É a mente que cria nossa riqueza, e isso vai conosco para o exílio, e nos lugares mais áridos do deserto ela encontra o suficiente para nutrir o corpo e deleita-se com o gozo de seus próprios bens. O dinheiro não diz respeito à mente mais do que diz respeito aos deuses.

Todas aquelas coisas que são reverenciadas por mentes não ensinadas e escravizadas por seus corpos, mármore, ouro, prata, grandes mesas redondas polidas, são fardos terrestres que uma alma pura e consciente de sua natureza não pode amar: pois é leve e desimpedida, e destinada para voar alto sempre que for liberada do corpo. Enquanto isso, na medida em que não é atrapalhada por nossos membros e este fardo pesado que nos envolve, ela examina as coisas divinas com pensamento rápido e alado. Portanto, a alma nunca pode sofrer o exílio, sendo livre e semelhante aos deuses e igual a todo o universo e todos os tempos. Pois seu pensamento abrange todo o céu e viaja para todo o tempo passado e futuro. Este corpo miserável, a cadeia e prisão da alma, é atirado para cá e para lá; sobre ele o castigo, a pilhagem e a doença causam estragos: mas a própria alma é sagrada e eterna e não pode ser atacada com violência.

Caso você ache que estou simplesmente usando o ensino dos filósofos para amenizar as provações da pobreza, que ninguém sente como um fardo, a menos que pense assim, primeiro considere que de longe a maior proporção dos homens é de pobres, mas você não os verá parecer mais sombrios e ansiosos do que os ricos. Na verdade, suspeito que eles são mais felizes na medida em que suas mentes têm menos coisas para atormentá-los.

Passemos aos ricos: quantas vezes são exatamente como os pobres! Quando viajam para o exterior, sua bagagem é restrita e, sempre que são obrigados a apressar sua viagem, dispensam seu séquito de acompanhantes. Quando eles estão servindo no exército, quão pouco de seus pertences eles mantêm com eles, já que a disciplina do acampamento proíbe qualquer luxo! Tampouco são apenas condições especiais de tempo e lugar que os colocam no mesmo nível dos pobres: quando se cansam de suas riquezas, escolhem certos dias em que jantam no chão e, deixando de lado o ouro e vasos de prata, usam os de barro. Que lunáticos, às vezes cobiçar uma condição que sempre temem! Que escuridão mental, que ignorância da verdade cega aqueles que, embora afligidos pelo medo da pobreza, têm prazer em imitá-la!

De minha parte, sempre que olho para os belos exemplos da Antiguidade, envergonho-me de encontrar consolos para a pobreza, pois a luxúria dos tempos chegou ao ponto em que uma indenização para o exílio é mais do que a herança dos chefes de outrora. Todos nós sabemos que Homero tinha um escravo, Platão tinha três, e Zenão, o fundador da filosofia estoica estrita e viril, nenhum. Alguém por causa disso dirá que eles viveram miseravelmente sem ele mesmo se referir a todos por suas palavras serem completamente despropositadas? Menenius Agrippa, que manteve a paz pública agindo como mediador entre patrícios e plebeus, foi sepultado por assinatura pública. Atilius Regulus, enquanto derrotava os cartagineses na África, escreveu para dizer ao Senado que seu trabalhador contratado havia partido e abandonado sua fazenda: o Senado votou que durante a ausência de Regulus a fazenda deveria ser administrada pelo estado. Não valia a pena ficar sem o escravo para que o povo romano fosse seu inquilino? As filhas de Cipião recebiam um dote do tesouro do Estado porque o pai não lhes deixara nada: com certeza era justo que o povo romano prestasse homenagem a Cipião uma vez, pois ele sempre o exigia de Cartago. Felizes eram os maridos das moças cujo sogro era o povo romano! Você acha que aquelas cujas atrizes de pantomima se casam com um dote de um milhar de sestércios são mais felizes do que Cipião, cujos filhos tiveram o Senado como tutor e receberam dinheiro de cobre sólido como dote? Alguém poderia desprezar a pobreza com um *pedigree* tão distinto? Será que um exilado pode ressentir-se da falta de alguma coisa, quando Cipião não tinha dote, Régulo um trabalhador contratado, Menênio um funeral: quando para todos eles suprir suas necessidades era tanto mais honroso, simplesmente porque eles realmente estavam em necessidade?

E assim, com esses homens defendendo sua causa, a pobreza ganha não apenas a absolvição, mas também a alta estima. Alguém poderia responder: "Por que você faz uma separação artificial das coisas que podem ser suportadas separadamente, mas não em combinação? Você pode tolerar uma mudança de lugar se apenas o lugar for mudado. Você pode tolerar a pobreza se não houver desgraça, que mesmo sozinha geralmente esmaga o espírito". Em resposta a este homem que pretende me assustar por um acúmulo de males, isto deve ser dito: "Se você tiver a força para lidar com qualquer um dos aspectos do infortúnio, você pode lidar com todos". Uma vez que a virtude endureceu a mente, ela a torna invulnerável de todos os lados. Se a ganância, a praga mais dominante da raça humana, relaxou o controle, a ambição não ficará em seu caminho. Se você considerar seu último dia não como um castigo, mas como uma lei da natureza, no peito daquele que você baniu o medo da morte, nenhum medo ousará entrar. Se você considerar que o desejo sexual foi dado ao homem não para o prazer, mas para a propagação da espécie, uma vez que você esteja livre dessa paixão violenta e destrutiva enraizada em seus órgãos vitais, qualquer outro desejo o deixará impassível. A razão destrói os vícios não um a um, mas todos juntos: a vitória é final e completa.

Você acha que qualquer homem sábio pode ser afetado pela desgraça, alguém que confia inteiramente em si mesmo e se mantém afastado das crenças comuns? Uma morte vergonhosa é pior do que a desonra: contudo, Sócrates foi para a prisão com a mesma expressão que usava quando uma vez esnobou os Trinta Tiranos, e sua presença roubou até a prisão da desgraça, pois onde Sócrates estava não poderia parecer uma prisão.

Quem é tão cego para a verdade que pensa que foi uma vergonha para Marco Cato ter sido duas vezes derrotado em sua candidatura ao cargo de pretoria e consulado? A desgraça pertencia à pretoria e ao consulado que eram honrados com a presença de Catão.

Nenhum homem é desprezado por outro a menos que primeiro seja desprezado por si mesmo. Uma mente abjeta e degradada é suscetível a tal insulto; mas, se um homem se esforça para enfrentar o pior dos desastres e derrota os males que oprimem os outros, então ele usa essas mesmas tristezas como um distintivo sagrado. Pois estamos naturalmente dispostos a admirar mais do que qualquer outra coisa o homem que mostra coragem na adversidade. Quando Aristides era levado à execução em Atenas, todos os que o encontravam baixaram os olhos e gemeram, como se não fosse apenas um homem justo, mas a própria Justiça a ser punida. No entanto, um homem realmente cuspiu em seu rosto. Ele poderia ter ficado ressentido porque sabia que apenas um homem desbocado ousaria fazer isso. Em vez disso, enxugou o rosto e, com um sorriso, disse ao magistrado que o acompanhava: "Que tal aquele homem não dar um bocejo assim tão vulgar em outra hora". Isso era para retaliar o insulto com outro insulto.

Sei que algumas pessoas dizem que nada é pior do que o desprezo e que até a morte parece preferível. A estes devo responder que o exílio também é frequentemente isento de qualquer tipo de desprezo. Se um grande homem cai e permanece grande depois da sua queda, as pessoas não o desprezam mais do que visitariam um templo caído, mas cujos devotos ainda adoram, com a mesma intensidade de quando ele ainda estava de pé.

Querida mãe, visto que você não tem nenhum motivo por minha causa para levá-la a lágrimas intermináveis, segue-se que razões pessoais suas a estão incitando a chorar. Bem, há duas delas: você está incomodada ou porque parece ter perdido alguma proteção, ou porque não consegue suportar a simples ideia de viver sem mim. Devo abordar o primeiro ponto apenas ligeiramente, pois sei que seu coração ama seus entes queridos somente por eles próprios existirem. Que reflitam sobre isso as mães que exploram a influência dos filhos com a falta de influência típica da mulher; que, porque as mulheres não podem ocupar cargos, buscam o poder através de seus filhos; que drenam as heranças de seus filhos e tentam obtê-las; que exaurem seus filhos, emprestando sua eloquência a outros.

Considerando que você teve o maior prazer com os dons de seus filhos e fez o mínimo uso deles; você sempre estabeleceu um limite para nossa generosidade, sem limitar a sua própria; enquanto seu pai ainda estava vivo, você deu presentes para seus filhos ricos; você administrou nossas heranças como se estivesse zelosamente cuidando das suas e sendo escrupulosamente providente com as de outrem; você foi cautelosa em usar nossa influência, como se fosse de outra pessoa, e em nossos períodos de mandato você não participou, exceto com seu prazer e as suas despesas. Seu amor nunca considerou por interesse próprio: portanto, agora que seu filho foi tirado de você, você não pode sentir a falta daquelas coisas que você nunca pensou que o preocupassem quando ele estava são e salvo.

Devo dirigir meu consolo inteiramente àquele ponto de onde surge a verdadeira força do luto de uma mãe. Você diz: "Portanto, estou privada do abraço do meu filho mais querido; não terei mais aquele prazer em vê-lo ou em conversar com ele. Onde está aquele cuja aparência suavizava minha mente perturbada, a quem confiei todas as minhas angústias? Onde estão nossas conversas das quais nunca me canso? Onde estão seus estudos, que compartilhei com mais do que uma ansiedade feminina e mais do que a intimidade de uma mãe? Onde estão nossas reuniões? Onde está a alegria infalível de menino ao ver sua mãe?" A tudo isso você adiciona os lugares reais onde nos alegramos e socializamos, e as lembranças de nossa recente vida juntos, que são inevitavelmente a fonte mais aguda de angústia mental. Pois o destino planejou até mesmo este golpe cruel contra você e, apenas dois dias antes de eu ser abatido, ele planejou que você partisse tranquila mentalmente e não temendo tal desastre. Foi bom que vivêssemos separados e que a ausência de alguns anos a tivesse preparado para este golpe. Ao voltar, você não ganhou o prazer da presença de seu filho, mas perdeu o hábito de suportar sua ausência. Se você tivesse se afastado muito antes, teria suportado a perda com mais bravura. Como a própria distância entre nós teria suavizado o desejo. Se você não tivesse ido embora, pelo menos teria o prazer final de ver seu filho por mais dois dias. O que aconteceu foi que o destino cruel o arranjou de tal maneira que você não pudesse assistir ao meu infortúnio nem se acostumar com a minha ausência.

Mas quanto mais duras forem essas circunstâncias, maior será a coragem que você deve reunir e mais ferozmente deve lutar, como com um inimigo que você já conhece e que derrotou com alguma frequência. Seu sangue agora não flui de um corpo não danificado: você foi atingida exatamente onde estão as velhas cicatrizes. Você não deve se desculpar por ser mulher, a quem foi virtualmente concedido o direito de se entregar às lágrimas excessivamente, mas não infinitamente.

Com isso em vista, nossos ancestrais permitiram que as viúvas guardassem luto por seus maridos por dez meses, a fim de transigir por decreto público com a persistência da dor feminina. Eles não proibiram o luto, mas o limitaram. Pois sentir-se aflito por uma tristeza sem fim pela perda de alguém muito querido é uma autoindulgência tola, e não sentir nenhuma é um sintoma de crueldade desumana. O melhor compromisso entre o amor e o bom senso é tanto sentir saudade quanto conquistá-la. Você não deve prestar atenção a certas mulheres cuja dor, uma vez assumida, só termina com a própria morte; você conhece algumas que nunca tiraram o vestido de luto que vestiram quando perderam seus filhos. Sua vida foi mais corajosa desde o início e espera mais de você: a desculpa de ser mulher não se aplica àquela de quem todos os defeitos femininos estiveram ausentes. O pior mal de nosso tempo, a falta de castidade, não a inclui entre a maioria das mulheres; nem joias nem pérolas a influenciaram; o brilho da riqueza não parece a você a maior bênção da raça humana; você foi criada em um lar rígido e antiquado e nunca se desviou da imitação de mulheres piores, que é perigoso até mesmo para as boas; você nunca se envergonhou de sua fertilidade, como se ela zombasse de sua idade avançada; você nunca seguiu outras mulheres que procuram apenas impressionar pela aparência e esconder sua gravidez como se fosse um fardo indecente, nem destruiu a esperança de dar à luz pelo aborto; você não estragou sua pele com tintas e cosméticos; você nunca gostou do tipo de vestimenta que não revelava mais quando era tirada; em você foi visto aquele ornamento incomparável, aquela beleza mais adorável, que não depende de qualquer época da vida, a maior glória de todas: a modéstia.

Portanto, você não pode, para justificar sua dor, reivindicar o nome de mulher da qual suas virtudes a separaram: você deveria ser tão imune às lágrimas femininas quanto aos vícios femininos. Nem mesmo as mulheres permitirão que você se enfraqueça com sua ferida, mas dirão a você para terminar o luto necessário rapidamente e se erguer novamente confortada, tentando manter em mente aquelas mulheres cuja coragem notável as classificou como os grandes homens. A sorte reduziu os doze filhos de Cornélia a dois: se você quiser contar as perdas de Cornélia, ela perdera dez; se você quisesse avaliá-los, ela havia perdido o Gracchi. Mas, quando aqueles ao seu redor estavam chorando e amaldiçoando seu destino, ela os proibiu de acusar o destino, que havia dado a ela os Gracchis como seus filhos. Foi um filho legítimo dessa mãe que disse na assembleia: "Você insultou a mãe que me deu à luz?" No entanto, as palavras de sua mãe me parecem muito mais animadas: o filho tinha orgulho da linhagem dos Gracchis, a mãe de suas mortes, também. Rutilia seguiu seu filho Cotta até o exílio e era tão obstinada em sua devoção que preferiu o exílio a sentir a falta dele, e voltou para casa somente quando ele o fez. E quando, restaurado ao favor de uma figura pública distinta, ele morreu, ela suportou sua perda com a mesma bravura com que compartilhou seu exílio, nem foi vista chorando depois de seu funeral. Ela mostrou coragem quando ele foi exilado e sabedoria quando ele morreu; pois nada a impedia de demonstrar seu amor e nada a induzia a persistir em uma dor inútil e fútil. É com mulheres como essas que quero que você seja contada. Você sempre imitou o modo de vida delas e seguirá melhor o exemplo delas para controlar e vencer sua tristeza.

Eu sei que isso não é algo que está em nosso poder e que nenhum sentimento forte está sob nosso controle, muito menos aquele que surge do sofrimento: pois é violento e resiste violentamente a qualquer remédio. Às vezes, queremos esmagá-lo e engolir nossos gemidos, mas através da compostura fingida de nossas feições, as lágrimas ainda escorrem. Às vezes, distraímos nossa mente com *shows* públicos ou competições de gladiadores, mas no meio das distrações dos espetáculos ela é minada por alguma pequena lembrança de sua perda. Portanto, é melhor vencer nossa dor do que enganá-la. Pois, se ela foi retirada, sendo meramente seduzida por prazeres e preocupações, ela recomeça e a partir da sua própria pausa, ganha força para nos ferir. Mas a dor que foi vencida pela razão se acalma para sempre. Portanto, não vou prescrever para você aqueles remédios que sei que muitas pessoas têm usado, que você se divirta ou se anime com uma viagem longa ou agradável ao exterior, ou gaste muito tempo examinando cuidadosamente suas contas e administrando seus bens, ou esteja constantemente envolvida em alguma nova atividade.

Todas essas coisas ajudam apenas por um curto período; elas não curam a dor, mas a escondem. Mas prefiro acabar com ela a distraí-la. E assim estou conduzindo você para aquele recurso que deve ser o refúgio de todos que estão fugindo do destino, os estudos liberais. Eles vão curar sua ferida, vão retirar toda a sua melancolia. Mesmo se você nunca tenha se familiarizado com eles, você precisaria deles agora. Mas, tanto quanto a severidade antiquada de meu pai permitia, você teve algum conhecimento das artes liberais, mesmo que não as tenha dominado.

Se ao menos meu pai, o melhor dos homens, tivesse sido menos dedicado à tradição ancestral e desejasse que você fosse imersa no ensino da filosofia e não apenas ganhasse um conhecimento superficial, você não teria agora que adquirir sua defesa contra o destino, mas apenas recordá-la. Ele foi menos inclinado a deixá-la continuar seus estudos por causa daquelas mulheres que usam os livros não para adquirir sabedoria, mas como a mobília da luxúria. No entanto, graças à sua mente vigorosa e inquiridora, você absorveu muito, considerando o tempo que tinha disponível: as bases de todos os estudos formais foram estabelecidas.

Volte agora a esses estudos, e eles a manterão segura. Eles irão confortá-la, eles irão deliciá-la; e, se eles penetrarem genuinamente em sua mente, nunca mais entrará ali a dor, ou a ansiedade, ou a angústia causada por um sofrimento inútil e sem sentido. Seu coração não terá espaço para nada disso, pois para todas as outras falhas ele estará fechado há muito tempo. Esses estudos são sua proteção mais confiável, e só eles podem arrancar você das garras do destino.

Mas, até chegar a esse refúgio que a filosofia lhe oferece, você deve ter suportes nos quais se apoiar; portanto, quero apontar quais serão seus próprios consolos. Considere meus irmãos: enquanto eles viverem, você não terá por que reclamar de seu destino. Em ambos você tem virtudes contrastantes para animá-la: um alcançou um cargo público por sua energia; o outro, em sua sabedoria, o desprezou. Conforte-se com a distinção de um, com o afastamento do outro e a devoção de ambos. Eu conheço os sentimentos mais profundos dos meus irmãos. Um promove sua distinção realmente para honrá-la, enquanto o outro se retira em paz e tranquilidade para oferecer lazer para você. O destino prestou-lhe um serviço ao providenciar para que os seus filhos lhe trouxessem assistência e deleite: você pode ser protegida pela distinção de um e pode desfrutar do lazer do outro. Eles serão rivais em seus serviços a você, e a devoção de dois preencherá o espaço vazio deixado por um. Eu prometo a você com total confiança que você não perderá nada além do número de filhos.

Depois disso, considere também seus netos: Marcus, uma criança encantadora, você não podia ficar triste enquanto olhava para ele, e o coração de ninguém poderia suportar uma angústia muito grande ou muito recente que não pudesse ser acalmada por seu abraço. As lágrimas de quem sua alegria não seria capaz de acalmar? De quem é o coração, dominado por uma preocupação ansiosa, que não relaxaria com sua conversa animada? Quem não vai sorrir de suas brincadeiras? A atenção de quem, embora fixada em seus próprios pensamentos, não será atraída e mantida por aquela tagarelice da qual ninguém pode se cansar? Eu rezo para os deuses que ele possa sobreviver a nós. Que toda a crueldade do destino possa se desgastar e parar em mim. O que quer que você estivesse destinada a sofrer como mãe e como avó, posso aliviar de você. Deixe o resto de minha família florescer imperturbável. Não me queixarei de minha falta de filhos ou de meu exílio, se apenas provar ser o bode expiatório de uma família que não sofrerá mais. Abrace Novatilla, que em breve lhe dará bisnetos; Eu a apeguei tanto a mim mesmo e a adotei que, ao me perder, ela poderia parecer uma órfã, embora seu pai esteja vivo. Cuide dela por mim também. O destino recentemente levou embora a mãe dela, mas seu amor significará que ela só lamentará a perda da mãe, mas não sofrerá por ela.

Agora você deve moldar e compor seu caráter: o ensino penetra mais profundamente naqueles anos impressionáveis. Deixe que ela cresça acostumada com sua conversa e seja moldada como você pensa que seja o certo; você dará a ela muito, mesmo se der apenas o seu exemplo. Um dever sagrado como este atuará como cura, pois somente a filosofia ou a ocupação honrosa podem desviar de sua angústia um coração cuja dor brota do amor. Eu consideraria seu pai também um grande consolo se ele não estivesse ausente. Do jeito que as coisas estão, agora você deve julgar o amor dele por você pelo seu amor por ele, e você vai perceber o quanto é mais justo para você se preservar para ele do que se sacrificar por mim. Sempre que o luto excessivo o atacar e o incitar a ceder, pense em seu pai. Certamente, ao dar a ele tantos netos e bisnetos, você deixou de ser sua única descendência; mas para ele a conclusão de uma vida feliz depende de você. Enquanto ele viver, é errado para você reclamar que viveu.

Até agora nada disse sobre o seu maior conforto, sua irmã, aquele coração mais fiel a você, no qual são derramadas sem reservas todas as suas ansiedades, aquela alma que foi uma verdadeira mãe para todos nós. Você misturou suas lágrimas com as dela; em seu seio você começou a respirar novamente. Na verdade, ela sempre compartilha seus sentimentos, mas, no meu caso, ela lamenta não apenas por você. Ela me carregou em seus braços até Roma. Durante minha longa doença, foi sua amamentação amorosa e maternal que me trouxe de volta. Quando fui candidato a administrador financeiro da cidade, ela me apoiou e, embora normalmente lhe faltasse confiança até para uma conversa ou uma saudação em voz alta, em meu favor o seu amor venceu a timidez. Nem sua maneira de viver recatada, nem sua modéstia (antiquada quando comparada com a ousadia predominante das mulheres), nem sua tranquilidade, nem sua natureza reservada, de quem queria paz e sossego, nada disso a impediu de realmente se tornar ambiciosa em minha defesa. Ela, querida mãe, é a fonte de conforto a partir do qual você pode reanimar-se: agarre-se a ela tanto quanto puder nos abraços mais próximos. Os tristes tendem a evitar aquilo de que mais gostam e tentam dar vazão à sua dor; mas você deve compartilhar todos os seus pensamentos com ela. Quer você queira manter esse estado de espírito, quer queira deixá-lo de lado, você encontrará nela o fim de sua tristeza ou alguém com quem poderá compartilhá-la. Mas, se eu conheço a sabedoria desse modelo de mulher, ela não permitirá que você seja consumida em uma angústia inútil, e ela lhe contará um episódio edificante em sua vida que eu também testemunhei.

Durante uma viagem marítima, ela perdeu seu amado marido, meu tio, com quem ela se casou quando ainda era virgem; ainda assim, ela carregou simultaneamente os fardos da dor e do medo e, embora naufragada, ela navegou para fora das tempestades e trouxe o corpo dele em segurança para a praia. Quantas ações nobres das mulheres estão perdidas na obscuridade! Se ela tivesse a chance de ter vivido nos tempos de outrora, quando as pessoas admiravam francamente o heroísmo, como os homens de gênio teriam competido para cantar os louvores de uma esposa que ignorou sua fraqueza física, ignorou o mar, que até mesmo os mais bravos devem temer, e a arriscou a sua vida para dar o devido enterro ao marido; e, enquanto os pensamentos dela estavam no funeral dele, não teve medo do próprio! Todos os poetas deram fama à mulher que se ofereceu para morrer no lugar de seu marido. Mas isso é mais nobre, arriscar a vida para enterrar seu marido: pois é maior aquele amor que ganha menos por igual perigo.

Depois disso, não pode surpreender ninguém que, durante os dezesseis anos em que seu marido governou o Egito, ela nunca foi vista em público, não recebeu nenhuma provinciana em sua casa, nunca pediu um favor ao marido e nunca se permitiu ser peticionada. O resultado foi que uma província dada à fofoca e esperta em insultar seus governantes, onde mesmo aqueles que haviam evitado transgressões não escapavam ao escândalo, a respeitavam como um padrão singular de integridade, restringia toda licenciosidade em seu discurso (uma conquista muito difícil em que até mesmo piadas perigosas são populares), e até hoje continua esperando, embora nunca espere, ver outra como ela. Teria sido um grande êxito se ela tivesse conquistado a aprovação da província por dezesseis anos; era ainda melhor não ter sido notada ali. Não me lembro dessas coisas para listar suas boas qualidades (ensaiá-las tão superficialmente é ser injusto com elas), mas para dar uma ideia da altivez da mulher que não foi conquistada pela ambição ou ganância, aquelas inevitáveis compensações e maldições do poder; que, enfrentando um naufrágio em um barco precário, não foi dissuadida pelo medo da morte de se agarrar ao marido morto e buscar não os meios de sua própria fuga, mas os meios de preservar seu corpo para o enterro. Esse é o tipo de coragem que você deve ter, afastando sua mente da tristeza e resolvendo que ninguém pensará que você se arrependeu de ter tido filhos.

No entanto, faça o que fizer, inevitavelmente seus pensamentos se voltarão para mim constantemente, e nenhum de seus outros filhos virá à sua mente com mais frequência, não porque eles sejam menos queridos para você, mas porque é natural tocar com mais frequência a parte que dói. Portanto, é assim que você deve pensar em mim: feliz e alegre como se estivesse nas melhores circunstâncias. Pois eles são as melhores, já que minha mente, sem nenhuma preocupação, está livre para suas próprias tarefas, ora se deliciando em estudos mais triviais, ora em sua ânsia pela verdade surgindo para refletir sobre sua própria natureza e a do universo. Ele procura saber primeiro sobre as terras e sua localização, depois a natureza do mar circundante e sua vazante e correntes. Em seguida, ele estuda toda a extensão impressionante que fica entre o céu e a terra, este espaço mais próximo turbulento com trovões, relâmpagos, rajadas de vento e chuva, neve e granizo. Finalmente, tendo vasculhado as áreas inferiores, ele irrompe às alturas e desfruta da mais nobre visão das coisas divinas e, consciente de sua própria imortalidade, abrange tudo o que foi e será ao longo de todos os tempos.

Sobre a tranquilidade da mente

Serenus[3]: quando olhei para dentro de mim, Sêneca, alguns de meus vícios apareceram claramente na superfície, de modo que pude colocar minha mão sobre eles; alguns estavam mais escondidos nas profundezas; alguns não estavam lá o tempo todo, mas voltam em intervalos. Eu diria que estes últimos são os mais problemáticos: eles são como inimigos rondando que se lançam sobre você quando a ocasião se apresenta e não permitem que você esteja pronto como na guerra, nem à vontade como na paz. No entanto, o estado em que mais me encontro (pois por que não deveria admitir a verdade a você como a um médico?) é que não estou realmente livre dos vícios que temia e odiava, embora não, por outro lado, sujeito a eles: isso me coloca em uma condição que não é a pior, mas extremamente rabugenta e briguenta; não estou doente nem bem. Não há necessidade de você dizer que todas as virtudes são frágeis para

---

[3] Serenus foi um grande amigo de Sêneca

começar e adquirem elegância e força com o tempo. Sei também que aqueles que trabalham para causar uma boa impressão, buscando alto nível, por exemplo, e uma reputação de eloquência, e tudo o que depende da aprovação dos outros, levam tempo para amadurecer, tanto aqueles que oferecem força real quanto aqueles que são enganados em algum tipo de corante visando à popularidade, tem que esperar anos até que a passagem do tempo produza gradualmente suas cores.

Mas temo que esse hábito, que induz à firmeza nas coisas, possa me aprofundar ainda mais nessa falha: a longa associação traz amor ao mal e ao bem. Não posso mostrar de uma vez, nem mesmo aos poucos, a natureza dessa fraqueza mental, que oscila entre duas escolhas e não se inclina fortemente para o certo ou para o errado: eu vou lhe dizer o que acontece comigo, e você pode encontrar um nome para a doença. Tenho um grande amor pela frugalidade, devo admitir. Não gosto de um sofá decorado de forma ostensiva; ou roupas tiradas de um baú ou reluzidas pela forte pressão de pesos e mil rolos para engomar, mas simples e baratas, e não acumuladas para serem vestidas com espalhafato e aborrecimento. Gosto de comida que não seja preparada e vigiada pelos escravos da casa, não encomendada com muitos dias de antecedência nem servida por uma multidão de mãos, mas facilmente obtida e fácil de lidar, nada fora do comum ou muito caro, disponível em qualquer lugar, que não pese na bolsa ou no corpo, e não esteja destinada a voltar pela mesma via que entrou. Quero que meu servo seja um escravo comum, não qualificado, nascido em casa; que minha prata seja a mercadoria pesada de meu simplório pai, sem nenhuma marca de família; e minha mesa sem marcas variadas e espalhafatosas e não seja conhecida por toda a cidade por causa de suas muitas mudanças de proprietários elegantes, mas preparada para ser apreciada e não distrair os olhos de nenhum hóspede com o prazer ou incendiá-los de inveja. Mas, quando estabeleci esses padrões, acho minha mente deslumbrada pelas belas armadilhas de alguma escola de treinamento para servos, com os escravos mais cuidadosamente vestidos e adornados com ouro do que se estivessem em uma parada pública, e todo um exército de lacaios brilhantes; por uma casa onde você até caminha sobre pedras preciosas, onde a riqueza se espalha a cada canto, onde o próprio telhado brilha, e toda a população acompanha deferentemente a ruína de um patrimônio familiar. Devo mencionar piscinas claras em suas profundidades que fluem em torno dos convidados do jantar, ou banquetes dignos de seus arredores? Depois de ter sido abandonado por muito tempo à frugalidade, eu me vi cercado pelo esplendor luxuoso do luxo ecoando por toda parte. Minha visão oscila um pouco, pois posso levantar minha mente para encarar isso com mais facilidade do que meus olhos. E assim eu volto não um homem pior, mas mais triste; não me movo com a cabeça tão erguida entre minhas posses triviais; e uma dúvida que secretamente me atormenta me destrói, indagando se essa vida é superior. Nenhuma dessas coisas está me modificando, mas nenhuma delas deixa de me abalar

Eu decido seguir os preceitos de meu professor e me ocupar com assuntos de estado; eu decido alcançar um cargo público, não, é claro, por causa do manto roxo e das varas dos lictores, mas para que eu possa estar mais pronto com ajuda para meus amigos e parentes, para todos os meus compatriotas, e então para toda a humanidade. Com entusiasmo, sigo Zenão, Cleantes, Crisipo, dos quais, a propósito, nenhum entrou na vida pública e todos incentivaram outros a fazê-lo. Mas, quando algo assalta minha mente, que não está acostumada a ser bombardeada, quando algo aconteceu que ou é indigno de mim (uma experiência comum em toda vida humana) ou que não pode ser tratado facilmente, quando coisas sem importância se tornam demoradas, refugio-me no lazer e, assim como rebanhos de animais cansados, caminho mais rapidamente para casa. Dediquei-me a restringir minha vida dentro de suas paredes, dizendo: "Ninguém me roube um único dia que não me traga um retorno adequado por tal perda. Que minha mente se fixe em si mesma, se cultive, não tenha nenhum interesse externo, nada que busque a aprovação de outro; que estimule a tranquilidade que não tem parte nos interesses públicos ou privados". Mas, quando minha mente está excitada com a leitura de um relato convincente de algo e estimulada por exemplos nobres, desejo correr para o fórum, para falar em nome de um homem e oferecer ajuda a outro, o que será pelo menos uma tentativa de ajudar mesmo que não tenha sucesso, ou para refrear o orgulho de alguém que se tornou arrogante pelo sucesso.

Em meus estudos, suponho que realmente deve ser melhor manter meu tema firmemente em vista e falar sobre ele, enquanto permito que o tema sugira minhas palavras e, assim, dite o curso de um estilo de discurso não estudado. "Onde está a necessidade de compor algo para durar séculos? Por que não parar de tentar evitar que a posteridade se cale sobre você?", pergunto. Você nasceu para morrer, e um funeral silencioso é menos incômodo. Portanto, se você precisa preencher seu tempo, escreva algo em um estilo simples para seu próprio uso, e não para publicação: menos trabalho é necessário se você estudar apenas durante o dia. Mais uma vez, quando minha mente é elevada pela grandeza de seus pensamentos, ela se torna ambiciosa por palavras e anseia por combinar sua inspiração superior com sua linguagem, e assim produz um estilo que se adapta à impressionabilidade do assunto. Então é que esqueço minha regra e princípio de contenção, e sou levado muito longe por uma voz que não é mais minha.

Para encurtar o assunto, esta fraqueza nas minhas boas intenções persegue-me em todas as esferas. Temo que esteja piorando aos poucos, ou (o que é mais preocupante) que estou pendurado à beira do penhasco, como alguém que está sempre prestes a cair, e que talvez haja mais erros do que eu mesmo possa ver: pois nós também tomamos uma visão íntima de nossas próprias características e preconceitos, e isso sempre afeta nosso julgamento. Imagino que muitas pessoas poderiam ter alcançado a sabedoria se não imaginassem que já a haviam alcançado, se não tivessem fingido sobre algumas de suas próprias características e feito vista grossa para outras.

Pois você não tem razão para supor que soframos mais por causa da lisonja dos outros do que da nossa. Quem se atreveu a dizer a verdade a si mesmo? Quem, mesmo quando cercado por multidões de bajuladores, não é o seu maior adulador? Portanto, apelo a você, se tiver cura para essa vacilação de espírito, que me considere digno de lhe dever alguma tranquilidade. Sei que essas minhas agitações mentais não são perigosas e não produzirão uma tempestade. Para expressar minha queixa para você em uma metáfora realista, estou atormentado não por uma tempestade, mas pelos enjoos do mar. Seja qual for a minha doença, então erradique-a e ajude alguém que está lutando à busca de uma terra segura.

"Na verdade, Serenus, há muito que me pergunto silenciosamente como devo comparar tal estado mental, e não pude encontrar nenhuma analogia mais próxima do que a condição daquelas pessoas que superaram uma longa e grave doença, mas ainda estão às vezes levemente afetadas por surtos de febre e dor, e, mesmo quando livres dos últimos sintomas, ainda estão preocupadas e chateadas; e, embora muito melhor, oferecem suas mãos aos médicos e perguntam desnecessariamente se eles as sentem mais quentes que o normal. Com essas pessoas, Serenus, não é que seus corpos estejam insuficientemente curados, mas que não estão suficientemente acostumados com a saúde, assim como até um mar calmo apresenta algumas ondulações, especialmente quando se acalma após uma tempestade. Portanto, o que você precisa não é daqueles remédios mais radicais que acabamos de tomar agora, bloquear-se aqui, ficar com raiva de si mesmo ali, ameaçar-se severamente em outro lugar, mas do tratamento final, confiança em si mesmo e a crença de que você está no caminho certo, e não desviado pelos muitos rastros que cruzam o teu de pessoas que estão irremediavelmente perdidas, embora algumas estejam vagando não muito longe do verdadeiro caminho. Mas o que você anseia é grande, supremo e quase divino, e não deve ser abalado." Os gregos chamam esse pensamento firme de "eutimia" (Demócrito escreveu um bom tratado sobre isso), mas eu o chamo de tranquilidade, pois não há necessidade de imitar e reproduzir a forma das palavras gregas: o ponto em questão deve ser indicado por algum termo que deveria ter o sentido, mas não a forma do nome grego. Procuramos, portanto, como a mente pode seguir um curso suave e constante, bem disposta a si mesma, feliz em relação à sua própria condição e sem interrupção desse prazer, mas permanecendo em um estado de paz sem altos e baixos: assim será uma vida tranquila. Vamos considerar em geral como isso pode ser alcançado: você então extrairá o que quiser do remédio comunitário. Enquanto isso, toda a falha deve ser arrastada para fora, onde todos reconhecerão sua parte nela. Ao mesmo tempo, você perceberá que tem muito menos problemas com sua autorrepulsa do que aquelas pessoas que, presas a alguma declaração ilusória e trabalhando sob um título importante, estão presas a seu próprio fingimento mais por vergonha do que por desejo.

Eles estão todos na mesma categoria, tanto aqueles que sofrem de inconstância, tédio e uma mudança incessante de propósito, e que sempre anseiam pelo que abandonaram, quanto aqueles que apenas bocejam de apatia. Também há aqueles que se agitam como insones e ficam mudando de posição até encontrar descanso em razão da pura exaustão. Eles continuam alterando a condição de suas vidas e, eventualmente, apegam-se àquela em que estão presos, não pelo cansaço com novas mudanças, mas pela velhice, que é lenta demais para acompanhar as novidades. Existem também aqueles que não sofrem de firmeza moral, mas de inércia, e por isso não têm a flexibilidade para viver como desejam e apenas vivem como começaram. Na verdade, existem inúmeras características da doença, mas um efeito, a insatisfação consigo mesmo. Isso surge da instabilidade mental e dos desejos temerosos e insatisfeitos, quando os homens não ousam ou não realizam tudo o que almejam, e tudo o que conseguem se agarrar é à esperança: eles estão sempre desequilibrados e inconstantes, uma consequência inevitável de viver em suspense. Eles lutam para ter suas orações atendidas em todos os caminhos, e eles ensinam e se forçam a fazer coisas desonrosas e difíceis; e, quando seus esforços não são recompensados, a desgraça infrutífera os tortura, e eles lamentam não a maldade, mas a frustração de seus desejos. Então, eles são tomados pelo arrependimento por sua tentativa e medo de tentar novamente, e eles são indefinidos pela inquietação de uma mente que não pode descobrir nenhuma saída, porque eles não podem controlar nem obedecer a seus desejos, pela hesitação de uma vida que não pode ver seu caminho à frente e pela letargia de uma alma estagnada em meio às esperanças abandonadas. Todas essas aflições são piores quando, por meio do ódio ao seu fracasso laborioso, os homens se retiraram para a ociosidade e os estudos pessoais que são insuportáveis para uma mente que aspira ao serviço público, ávida pela atividade e inquieta por natureza em razão de carecer de recursos internos. Em consequência, quando foram removidos os prazeres que as pessoas ocupadas derivam de suas atividades reais, a mente não pode sustentar a casa, a solidão, as paredes e odeia observar seu próprio isolamento. Disto surge o tédio e a autoinsatisfação, aquela turbulência de uma mente inquieta e a resistência sombria e relutante de nosso lazer, especialmente quando temos vergonha de admitir as razões para isso e nosso sentimento de vergonha leva a agonia para dentro, e nossos desejos são presos em limites estreitos sem escapar e se sufocar. Disto surge a melancolia e o luto e mil vacilações de uma mente fraca, animada pelo nascimento da esperança e nauseada pela morte dela.

Daí surgem o estado de espírito daqueles que abominam o próprio lazer e se queixam de que não têm nada para fazer e a mais amarga inveja da promoção dos outros.

Pois a ociosidade improdutiva nutre a malícia, e porque eles próprios não conseguiram prosperar, querem que todos os outros sejam arruinados. Então, por causa dessa aversão pelo sucesso dos outros e desespero de si mesmos, suas mentes se enfurecem contra o destino, reclamam dos tempos, recuam para a obscuridade e meditam sobre seus próprios sofrimentos até ficarem doentes e cansados de si mesmos. Pois a mente humana é naturalmente móvel e gosta de atividades. Cada chance de estímulo e distração é bem-vinda, ainda mais bem-vinda para todos aqueles personagens inferiores que realmente gostam de ser desgastados por atividades intensas. Há certas feridas corporais que acolhem as mãos que as ferem e desejam ser tocadas, como uma coceira insana que adora ser coçada: da mesma forma, eu diria que aquelas mentes nas quais os desejos irrompem como feridas horríveis deliciem-se com o trabalho incessante para a cura ou mesmo com o agravamento do seu estado. Pois algumas coisas deliciam nossos corpos mesmo quando causam alguma dor, como virar para mudar um lado que ainda não está cansado e mudar repetidamente para se refrescar: então Aquiles em Homero estava deitado de bruços, ora de costas, tentando se acalmar em diferentes posições, e como um inválido não podia suportar nada por muito tempo, mas usava sua inquietação como cura. Consequentemente, os homens viajam por toda a parte, vagando por praias estrangeiras e experimentando por terra e mar sua inquietação, que sempre odeia o que está ao seu redor. "Vamos agora para a Campânia." Então, quando eles ficarem entediados com o luxo, "Vamos visitar áreas não cultivadas; vamos explorar as florestas de Bruttium e Lucania". E, ainda assim, em meio à selva, falta algum deleite pelo qual seus olhos mimados possam encontrar alívio da tediosa miséria dessas regiões sem belezas. "Vamos para Tarentum, com seu porto célebre e invernos amenos, uma área próspera o suficiente para uma grande população, mesmo na Antiguidade. "Agora vamos para a cidade"; por muito tempo seus ouvidos sentiram falta do barulho dos aplausos: agora eles desejam desfrutar até mesmo da visão de sangue humano. Eles fazem uma jornada após a outra e trocam um espetáculo por outro espetáculo. Como diz Lucrécio: "Assim, cada homem sempre foge por si mesmo". Mas para quê, se ele não foge de si mesmo? Ele persegue e incomoda a si mesmo como seu companheiro mais tedioso. E assim devemos perceber que nossa dificuldade não é culpa dos lugares, mas de nós mesmos. Somos fracos para suportar qualquer coisa e não podemos suportar o trabalho árduo ou o prazer ou a nós mesmos ou qualquer coisa por muito tempo. Essa fraqueza levou alguns homens à morte; porque, mudando frequentemente seus objetivos, eles continuavam recorrendo às mesmas coisas e não tinham deixado espaço para novidades. Eles começaram a ficar fartos da vida e do próprio mundo, e de sua enervante autoindulgência surgiu o sentimento "Por quanto tempo terei de encarar as mesmas coisas?". Você quer saber que remédio posso recomendar contra esse tédio. O melhor caminho, como diz Atenodoro, seria ocupar-se na atividade prática de envolvimento político e deveres cívicos. Pois, assim como algumas pessoas passam o dia tomando banho de sol, fazendo exercícios e cuidando de seus corpos, e para os atletas é da mais alta importância prática dedicar a maior parte do tempo cultivando a força de seus membros, à qual somente eles têm se dedicado, para você, que está treinando sua mente para as disputas da vida pública, de longe a melhor abordagem é a prática regular. Pois, quando alguém pretende tornar-se útil aos seus concidadãos e semelhantes, está ao mesmo tempo adquirindo prática e fazendo o bem, se se empenhar de corpo e alma no dever de zelar pela comunidade e pelo indivíduo.

"Mas", diz Atenodoro, "uma vez que a humanidade é tão insanamente ambiciosa e tantos falsos acusadores torceram o certo no errado, tornando a honestidade insegura e fadada a encontrar resistência em vez de ajuda, deveríamos de fato nos retirar da vida pública e política, embora uma grande mente tenha espaço para atividades livres, mesmo na vida privada. As energias dos leões e outros animais são restringidas pelas jaulas, mas não as dos homens, cujas melhores realizações são vistas na aposentadoria".

No entanto, deixe o homem se isolar com a condição de que, onde quer que oculte seu lazer, esteja preparado para servir aos indivíduos e a toda a humanidade por seu intelecto, suas palavras e seus conselhos. O serviço ao Estado não se restringe ao homem que apresenta candidatos a cargos, defende as pessoas no tribunal e vota pela paz e pela guerra: o homem que ensina os jovens, que infunde virtude em suas mentes (e temos uma grande escassez de bons professores), que agarra e restringe aqueles que se apressam loucamente atrás de riqueza e luxo, e se nada mais pelo menos os atrasa, ele também está prestando um serviço público, embora na vida privada. Você imagina que mais benefício é proporcionado pelos pretores, que resolvem casos entre estrangeiros e cidadãos, declarando aos recorrentes o veredito do assessor, do que por aqueles que se pronunciam sobre a natureza da justiça, piedade, resistência, bravura, condenação à morte, conhecimento dos deuses, e quão livre é a bênção de uma boa consciência? Portanto, se você dedicar aos estudos o tempo que tirou de seus deveres públicos, não terá desertado ou evitado sua tarefa. Pois o soldado não é apenas o homem que está na linha de batalha, defendendo as alas direita e esquerda, mas também aquele que guarda os portões e tem o posto, menos perigoso mas não ocioso, de manter a guarda e guardar o arsenal: esses deveres, embora exangues, contam como serviço militar. Se você se dedicar ao estudo, evitará todo o tédio da vida, não desejará a noite porque está farto da luz do dia, não será um fardo para si mesmo nem inútil para os outros, atrairá muitos para se tornarem seus amigos, e as melhores pessoas se reunirão ao seu redor. Pois mesmo a virtude obscura nunca foi ocultada, mas dá evidência visível de si mesma: qualquer pessoa digna dela seguirá seus rastros. Mas, se evitarmos toda a sociedade e, abandonando a raça humana, vivermos apenas para nós mesmos, esse isolamento, desprovido de qualquer interesse, será seguido por uma escassez de atividades que valham a pena. Começaremos a construir alguns edifícios, a derrubar outros, a empurrar o mar de volta, a tirar as águas por canais não naturais e a desperdiçar o tempo que a natureza nos deu para ser usado. Alguns de nós o usam com moderação, outros o desperdiçam; alguns gastam para que possamos dar conta, outros para que não tenhamos nenhum saldo ao final, um resultado muito vergonhoso.

Frequentemente, um homem muito velho não tem outra prova de sua longa vida além de sua idade. Parece-me, meu caro Sereno, que Atenodoro se submeteu facilmente aos tempos e recuou muito rapidamente. Eu não negaria que é preciso ceder algumas vezes, mas por meio de uma retirada gradual e nos agarrando a nossos padrões e à honra de nosso soldado. Aqueles que ainda estão armados quando concordam com seus inimigos estão mais seguros e serão mais bem considerados. Isto, penso eu, é o que o discípulo da Virtude e a própria Virtude devem fazer: se o destino leva a melhor sobre alguém e o priva dos meios de ação, ele não deve imediatamente virar as costas e fugir, largando as armas e procurando um lugar para se esconder (como se houvesse algum lugar onde o destino não pudesse encontrá-lo), mas ele deveria aplicar-se com mais parcimônia em seus deveres e escolher algo cuidadosamente em que pudesse servir ao Estado. Suponha que ele não possa ser um soldado: que ele procure um cargo público. Suponha que ele tenha de viver em caráter privado: que seja um advogado. Suponha que ele esteja condenado ao silêncio: que ele ajude seus concidadãos com o seu apoio tácito. Suponha que seja perigoso para ele ser visto no fórum: em casas particulares, nos *shows*, nos banquetes, deixe-o desempenhar o papel de um bom companheiro, um amigo leal, um convescote moderado. Suponha que ele perdeu os deveres de um cidadão: deixe-o praticar os de um homem. Com um espírito elevado, nós nos recusamos a nos confinar dentro dos muros de uma cidade e saímos para lidar com toda a terra e reivindicar o mundo como nosso país, por esta razão, para que pudéssemos dar à nossa virtude um campo mais amplo para a ação. Suponha que você está sem cargos judiciários e que falar em público e as eleições estão fechadas: considere todas as extensas regiões que estão abertas atrás de você, todos os povos, você jamais encontrará uma área restrita a você que seja tão grande que outra ainda maior não seja deixada aberta. Mas tome cuidado para que isso não seja inteiramente sua culpa: por exemplo, você não querer assumir um cargo público, exceto como cônsul ou senador ou arauto ou o magistrado-chefe de Cartago. Mas suponha que você não quisesse servir no exército, exceto como general ou tribuno. Mesmo que outros estejam na linha de frente e sua sorte o tenha colocado na terceira fila, você deve bancar o soldado com sua voz, seu encorajamento, seu exemplo e seu espírito. Mesmo que as mãos de um homem sejam cortadas, ele descobre que ainda pode servir a seu lado, permanecendo firme e os encorajando a lutar. Você deve fazer algo assim: se o destino o removeu de um papel de liderança na vida pública, você ainda deve permanecer firme e torcer para os outros; e, se alguém segurar sua garganta, continue firme e ajude, embora em silêncio. O serviço de um bom cidadão nunca é inútil: sendo ouvido e visto, ele ajuda por sua expressão, por um aceno de cabeça, pelo silêncio obstinado, até pelo andar. Assim como certas substâncias saudáveis nos fazem bem pelo seu odor, mesmo sem prová-las ou tocá-las, a virtude espalha suas vantagens mesmo de um esconderijo distante.

Quer ela caminhe para o exterior a respeito de seus negócios legítimos, ou pareça tolerante e seja forçada a enrolar suas velas, esteja ela confinada, inativa e muda, dentro de um espaço estreito ou totalmente visível, em qualquer condição que seja, ela ainda faz um bom serviço. Por que você acha que um homem que vive em uma aposentadoria honrosa não pode oferecer um exemplo valioso?

O melhor caminho, portanto, é combinar o lazer com alguma atividade sempre que uma vida plenamente enérgica for impossível, em razão dos obstáculos do acaso ou do estado do país; pois você nunca encontrará absolutamente todas as estradas bloqueadas para alguma forma de atividade honrosa. Você pode enumerar uma cidade mais miserável do que mil e trezentos dos melhores cidadãos, eles não pararam por aí, mas sua própria selvageria se intensificou. Em uma cidade que continha o Areópago, um tribunal da mais alta santidade, e um Senado e uma assembleia popular semelhante a um Senado, encontrava-se diariamente um grupo sinistro de algozes, e a casa infeliz do Senado estava apinhada de tiranos. Poderia aquele estado estar em paz onde havia tantos tiranos quanto atendentes? Não poderia haver nem a esperança de recuperar sua liberdade, nem qualquer chance óbvia de retaliação contra tão poderosos vilões: pois onde poderia o pobre país encontrar homens em quantidade suficiente como Harmodius? No entanto, Sócrates estava no meio da confusão: ele confortou os sombrios patriarcas da cidade, encorajou aqueles que estavam desesperados com o estado, censurou os ricos que agora temiam sua própria riqueza por um arrependimento tardio de sua perigosa ganância;

e, para aqueles que desejavam imitá-lo, ele foi uma inspiração ambulante, enquanto se movia, um espírito livre entre trinta mestres. No entanto, este foi o homem que a própria Atenas condenou à morte na prisão, e a liberdade não suportou a libertação do homem que zombou abertamente de toda uma tropa de tiranos. Portanto, você pode compreender que, em um estado que está sofrendo com um desastre, o sábio tem a oportunidade de mostrar uma presença influente e que, em um estado próspero e bem-sucedido, a arrogância por dinheiro, a inveja e milhares de outros vícios pouco masculinos reinam supremos. Portanto, de acordo com a disposição do estado e a liberdade que o destino nos permite, devemos estender ou contrair nossas atividades; mas, em todos os eventos, precisamos nos mexer e não ser agarrados nem paralisados pelo medo. Na verdade, ele será um homem que, ameaçado por perigos por todos os lados, com armas e correntes batendo à sua volta, não colocará em perigo nem esconderá sua coragem: pois a autopreservação não implica a supressão de si mesmo. Na verdade, eu acredito, Curius Dentatus costumava dizer que preferia a morte real à morte em vida; pois o horror final é deixar de ser contado no número de vivos antes mesmo de morrer. Mas, se acontecer de você viver em uma época em que a vida pública é difícil de lidar, você só terá que reivindicar mais tempo para o lazer e o trabalho literário, buscar um porto seguro de vez em quando, como se estivesse em uma viagem perigosa, e não esperar que a vida pública o demita, mas primeiro libertar-se voluntariamente.

No entanto, devemos dar uma olhada cuidadosa primeiro em nós mesmos, depois nas atividades que tentaremos realizar e, então, naqueles por amor de quem e com quem as estamos realizando.

Acima de tudo, é essencial avaliar-se, porque geralmente superestimamos nossas capacidades. Um homem vem para o sofrimento por confiar em sua eloquência; outro exige mais de sua fortuna do que ela pode suportar; outro sobrecarrega seu corpo frágil com trabalho árduo. Alguns homens são muito tímidos para a política, que exige uma aparência ousada; alguns, pela impetuosidade, não são adequados para a vida na corte; alguns não conseguem conter sua raiva, e qualquer sentimento de aborrecimento os leva a uma linguagem imprudente; alguns não conseguem controlar sua inteligência e se abstêm de tiradas inteligentes, mas perigosas. Pois todas essas saídas são mais convenientes do que a atividade pública: uma natureza apaixonada e impaciente deve evitar provocações à franqueza que causarão problemas.

Em seguida, devemos avaliar as coisas reais que estamos tentando e calibrar nossa força para o que vamos empreender. Pois o executor deve ser sempre mais forte do que sua tarefa: cargas que são muito pesadas para o portador estão fadadas a oprimi-lo. Além disso, certas tarefas não são tão grandes quanto prolíficas na produção de muitas outras tarefas: devemos evitar aquelas que, por sua vez, dão origem a novas e múltiplas atividades, e não nos aproximar de algo do qual não podemos nos retirar facilmente. Você deve colocar suas mãos em tarefas que você pode terminar ou pelo menos espera terminar, e evitar aquelas que ficam maiores conforme você avança e não param onde você pretendia.

Devemos ser especialmente cuidadosos ao escolher as pessoas e decidir se vale a pena dedicar parte de nossa vida a elas, se o sacrifício de nosso tempo faz diferença para elas. Pois algumas pessoas realmente nos cobram por nossos serviços a eles. Atenodoro diz que nem mesmo iria jantar com um homem que por isso não se sentisse em dívida com ele. Suponho que você perceba como ele estava muito menos inclinado a visitar aqueles que retribuem os serviços de seus amigos com uma refeição e consideram os pratos uma dádiva, como se estivessem exagerando na honra paga ao outro.

Tire suas testemunhas e espectadores e não haverá diversão em banquetear em privado. Você deve considerar se sua natureza é mais adequada para atividades práticas ou para estudo e reflexão silenciosos, e inclinar-se na direção que sua faculdade natural e disposição o levarem. Sócrates puxou Ephorus à força para longe do fórum, pensando que ele seria mais bem empregado em escrever história. As disposições inatas não respondem bem à compulsão, e trabalhamos em vão contra a oposição da natureza.

Mas nada encanta tanto a mente quanto uma amizade afetuosa e leal. Que benção é ter corações prontos e desejosos de receber todos os seus segredos em segurança, com os quais você tem menos medo de compartilhar o conhecimento de algo do que mantê-lo para si mesmo, cuja conversa acalma sua angústia, cujos conselhos o ajudam a formar suas opiniões, cuja alegria dissolve sua tristeza, cuja própria presença o anima! Para ter certeza, devemos escolher aqueles que estão, tanto quanto possível, livres de desejos fortes; pois os vícios se espalham insidiosamente, e os que estão mais próximos são assediados e prejudicados pelo contato com eles. Segue-se que, assim como em um momento de doença epidêmica devemos tomar cuidado para não nos sentarmos ao lado de pessoas cujos corpos estão infectados com doenças febris, porque nos arriscaremos e sofreremos com a respiração deles sobre nós, ao escolher nossos amigos pelo seu caráter teremos o cuidado de encontrar os menos corrompidos: misturar os sãos com os enfermos é como começa a doença. Mas não estou recomendando que você siga e se associe a ninguém, a não ser um homem sábio. Pois onde você irá encontrar aquele que temos procurado há séculos? No lugar do ideal, devemos tolerar o menos ruim. Você dificilmente teria a oportunidade de uma escolha mais feliz se estivesse caçando bons homens entre os Platões e Xenofones e toda aquela prole da raça socrática; ou se você tivesse acesso à era de Catão, que produziu uma legião de homens dignos de nascer na época de Catão. (Também produziu muitos que eram piores do que em qualquer outra época e que cometeram crimes terríveis: para que ambos os grupos fossem necessários para que Catão fosse apreciado, ele precisava do bom para obter sua aprovação e do ruim para provar sua força.) Mas, na atual escassez de bons homens, você deve ser menos exigente em sua escolha. Ainda assim, você deve evitar especialmente aqueles que estão tristes e sempre lamentando, e que se agarram a todos os pretextos para reclamar.

Embora a lealdade e a bondade de um homem possam não estar em dúvida, uma companhia que está agitada e gemendo a respeito de tudo é inimiga da paz de espírito.

Voltemos aos bens privados, a maior fonte de miséria humana. Pois, se você comparar todas as outras coisas pelas quais sofremos, mortes, doenças, medos, desejos, resistência às dores e labutas, com os males que o dinheiro nos traz, estes últimos superarão em muito os outros. Portanto, devemos ter em mente o quanto é mais leve a dor de não ter dinheiro do que de perdê-lo; e perceberemos que quanto menos a pobreza tem a perder, menos agonia pode nos causar. Pois se engana se pensa que os ricos sofrem com mais coragem: a dor de uma ferida é a mesma nos corpos maiores e nos menores. Bion observa com propriedade que arrancar cabelos machuca as pessoas carecas tanto quanto as que têm cabelo. Você pode enfatizar o mesmo que ricos e pobres sofrem igual aflição: pois ambos os grupos se apegam a seu dinheiro e sofrem se este for arrancado deles. Mas, como eu disse, é mais fácil suportar e mais simples não adquirir do que perder, então você notará que aquelas pessoas que o destino nunca favoreceu são mais alegres do que aquelas que ele abandonou. Diógenes, aquele homem de grande alma, percebeu isso e providenciou para que nada pudesse ser tirado dele. Você pode chamar esse estado de pobreza, privação, necessidade e dar a essa liberdade de cuidados qualquer nome vergonhoso que quiser: não considerarei esse homem feliz se você puder encontrar outro que não tenha nada a perder. Se não me engano, é uma posição destacada entre todos os avarentos, os trapaceiros, os ladrões, os sequestradores, ser o único que não pode ser ferido. Se alguém tem alguma dúvida sobre a felicidade de Diógenes, ele também pode ter dúvidas sobre a condição dos deuses imortais, se eles estão vivendo infelizes porque não têm propriedades, parques e fazendas caras alugadas para inquilinos estrangeiros e vastas receitas de juros no fórum. Vocês não têm vergonha de vocês mesmos, todos vocês que são atingidos pela riqueza? Venha, olhe para o céu: você verá os deuses desprovidos de posses e dando tudo, embora não tenham nada. Você acha que um homem que se despojou de todas as dádivas do acaso é pobre ou que se assemelha aos deuses imortais? Demétrio, o liberto de Pompeu, não tinha vergonha de ser mais rico do que Pompeu: você diria que ele era assim mais feliz? Ele costumava manter a contagem de seus escravos diariamente como um general revisando seu exército, onde antes ele teria pensado que era uma riqueza ter dois escravos e uma cela mais espaçosa. No entanto, quando Diógenes foi informado de que seu único escravo tinha fugido, ele não achou que valia a pena resgatá-lo. "Seria degradante", disse ele, "se Manes pudesse viver sem Diógenes, e não Diógenes sem Manes". Acho que o que ele quis dizer foi: "Cuide da sua vida, destino: Diógenes não tem nada seu agora. Meu escravo fugiu, não, fui eu quem fugiu dele em liberdade". Uma família de escravos precisa de roupas e comida; tantas barrigas de criaturas vorazes devem ser cuidadas, roupas compradas, protegidas e guardadas das mãos de ladrões, e serviços empregados em face de lágrimas e maldições. Quão mais feliz é o homem que não deve nada a ninguém, exceto aquele que ele pode recusar com mais facilidade, ele mesmo! Mas, como não temos essa força de vontade, devemos pelo menos restringir nossas posses, para que possamos estar menos expostos aos golpes do destino. Os corpos dos homens estarão mais bem preparados para a guerra se puderem ser comprimidos em sua armadura do que se projetarem para fora dela e por seu tamanho ficarem expostos de todos os lados a ferimentos. Portanto, a quantia ideal de dinheiro é aquela que não se enquadra na faixa de pobreza nem a excede em muito.

Além disso, ficaremos satisfeitos com este limite se praticássemos previamente a economia, sem a qual nenhuma quantidade de prosperidade é suficiente e nenhuma quantidade de riqueza é suficiente; especialmente porque um remédio está à mão, e a pobreza pode se transformar em riqueza praticando a economia. Vamos nos acostumar a banir a ostentação e a medir as coisas por suas qualidades de função, em vez de ostentação. Deixe que a comida elimine a fome e a bebida elimine a sede; deixe o sexo satisfazer suas necessidades; Sêneca permitiu que aprendamos a confiar em nossos membros e a ajustar nosso estilo de vestir e viver, não aos padrões modernos, mas aos modos de nossos ancestrais. Aprendamos a elevar nossa autocontenção, a refrear a luxúria, a moderar a ambição, a amenizar a raiva, a considerar a pobreza sem preconceitos, a praticar a frugalidade, mesmo que muitos tenham vergonha disso, a aplicar às necessidades da natureza os remédios que são baratos e disponíveis, para deter, como se fosse em grilhões, as esperanças desenfreadas e uma mente obcecada com o futuro, e almejar adquirir nossas riquezas de nós mesmos, e não do destino. Não é possível que todas as catástrofes múltiplas e injustas da vida possam ser repelidas, a ponto de muitas tempestades de ventos não assaltarem mesmo assim àqueles que espalham suas velas ambiciosamente. Devemos restringir nossas atividades para que as armas do destino errem seu alvo; e por essa razão exílios e calamidades provaram nos beneficiar, e desastres maiores foram consertados por outros menores. Quando a mente é menos receptiva à instrução e não pode ser curada por meios mais brandos, por que não deveria ser ajudada tendo uma dose de pobreza, desgraça e ruína geral, obrigando-a a lidar com um mal de cada vez? Portanto, vamos nos acostumar a jantar sem uma massa de gente, a ser escravos de menos escravos, a adquirir roupas para seus próprios fins e a viver em aposentos mais restritos. Não apenas nas pistas de corrida e nas competições do Circo, mas na corrida de nossas vidas devemos nos manter na pista mais interna. Mesmo em nossos estudos, onde o gasto vale mais a pena, sua justificativa depende de sua moderação. De que adianta ter incontáveis livros e bibliotecas cujos títulos o dono mal conseguiu ler em toda a sua vida? A massa de livros sobrecarrega o estudante sem instruí-lo, e é muito melhor dedicar-se a alguns autores do que se perder entre muitos. Quarenta mil livros foram queimados da biblioteca de Alexandria. Alguém poderia elogiá-la como um monumento suntuoso à riqueza real, como Tito Lívio, que a considera uma conquista notável do bom gosto e da devoção dos reis. Isso não era bom gosto ou devoção, mas autoindulgência erudita, na verdade nem mesmo erudita, visto que eles haviam colecionado os livros não para os estudos e concessão de bolsas, mas para exibição.

Da mesma forma, você descobrirá que muitas pessoas que carecem até mesmo de uma cultura elementar mantêm seus livros, não como ferramentas de aprendizagem, mas como decoração para suas salas de jantar. Portanto, devemos comprar livros suficientes para usar, e nenhum apenas para embelezar. "Mas isso", você diz, "é uma despesa mais honrosa do que esbanjar dinheiro em bronzes coríntios ou em pinturas". Mas o excesso em qualquer esfera é repreensível.

Como você pode desculpar um homem que coleciona estantes de madeira de cidra e marfim, reúne as obras de autores desconhecidos ou de terceira categoria e então se senta bocejando entre todos os seus milhares de livros e obtém o máximo de prazer com a aparência de seus volumes e seus rótulos? Verá, pois, que os homens mais preguiçosos possuem conjuntos de orações e histórias, com caixotes empilhados até o teto: pois, hoje em dia, uma elegante biblioteca juntou-se também aos banhos quentes e frios como adorno essencial de uma casa. Eu certamente desculparia as pessoas por errarem por amor excessivo ao estudo; mas essas coleções de obras de gênio inspirado, junto com seus vários retratos, são adquiridas apenas para decoração de parede pretensiosa.

Mas talvez você tenha se envolvido em alguma situação difícil na vida em que as circunstâncias públicas ou privadas o amarraram com um laço enquanto você estava desprevenido, que você não pôde afrouxá-lo nem o romper. Você deve refletir que os prisioneiros acorrentados apenas no início sentem o peso dos grilhões em suas pernas: com o tempo, quando decidem não lutar contra, mas suportá-los, eles aprendem da necessidade a suportar com firmeza e do hábito a resistir facilmente. Em qualquer situação da vida, você encontrará delícias, relaxamentos e prazeres se estiver preparado para desprezar seus problemas e não permitir que eles o perturbem. Em nenhum aspecto a natureza nos colocou mais em dívida com ela, pois, sabendo de que tristezas nascemos, ela inventou o hábito para amenizar nossos desastres, e tão rapidamente nos faz crescer habituados aos piores males. Ninguém poderia suportar uma adversidade duradoura se ela continuasse a ter a mesma força de quando nos atingiu pela primeira vez. Estamos todos amarrados ao destino, alguns por uma corrente folgada e dourada, e outros por uma estreita de metal mais duro: mas o que isso importa? Estamos todos presos no mesmo cativeiro, e aqueles que amarraram outros também estão acorrentados, a menos que você pense que talvez a corrente do lado esquerdo seja mais leve. Um homem está preso a um alto cargo, outro à riqueza; o bom nascimento pesa para alguns, e uma origem humilde para outros; alguns se curvam sob as regras de outros homens, e alguns sob suas próprias; alguns estão restritos a um lugar pelo exílio, outros pelo sacerdócio: toda a vida é uma servidão. Portanto, você precisa se acostumar com as circunstâncias, reclamar delas o mínimo possível e aproveitar todas as vantagens que elas têm a oferecer: nenhuma condição é tão amarga que uma mente estável não possa encontrar algum consolo nela. Frequentemente, pequenas áreas podem ser habilmente divididas para permitir espaço para muitos usos, e o arranjo pode tornar habitável um pedaço estreito de terreno. Pense no seu caminho através das dificuldades: as condições adversas podem ser amenizadas, as restritas podem ser ampliadas, e as pesadas podem pesar menos para aqueles que sabem como suportá-las. Além disso, não devemos enviar nossos desejos para uma caçada distante, mas permitir que eles explorem o que está próximo, já que não se submetem ao confinamento total. Abandonando aquelas coisas que são impossíveis ou difíceis de alcançar, busquemos o que está prontamente disponível e atraia nossas esperanças, embora reconheçamos que todas são igualmente triviais, exteriormente variadas em aparência, mas uniformemente fúteis por dentro.

E não invejemos aqueles que estão mais altos do que nós: os que parecem alturas imponentes são na verdade precipícios. Em contrapartida, aqueles que um destino injusto colocou em uma condição crítica estarão mais seguros para diminuir seu orgulho em coisas que são orgulhosas em si mesmas e reduzir sua fortuna tanto quanto possível a um nível de humildade. Na verdade, muitos são forçados a se agarrar ao pináculo, porque não podem descer sem cair; mas devem testemunhar que este é em si mesmo seu maior fardo, que são forçados a ser um fardo para os outros e que não são tão elevados quanto os empalados. Por justiça, gentileza, doçura e generosidade pródiga, eles prepararam muitas defesas contra desastres posteriores para dar-lhes a esperança de sobreviver com mais segurança. Mas nada pode nos resgatar dessas vacilações mentais de forma tão eficiente como sempre estabelecer algum limite para os avanços, e não permitir que o destino decida quando eles devem cessar, mas que paremos muito antes disso. Desse modo, teremos alguns desejos para estimular a mente, mas, sendo limitados, eles não nos levarão a um estado de incerteza descontrolada.

O que estou dizendo se aplica às pessoas que são imperfeitas, comuns e doentias, não ao homem sábio. Ele não precisa andar com nervosismo ou cautela, pois tem tanta autoconfiança que não hesita em se posicionar contra o destino e nunca cederá terreno a ele. Ele não tem razão para temê-la, visto que considera como sustentados não apenas seus bens e posses e *status*, mas até mesmo seu corpo, seus olhos e mãos, e tudo o que torna a vida mais importante, e ele mesmo; e ele vive como se tivesse sido emprestado a si mesmo e obrigado a devolver o empréstimo sob demanda sem reclamar. Nem é por isso mesquinho aos seus próprios olhos porque sabe que não é seu, mas agirá em todas as coisas tão cuidadosa e meticulosamente como um homem devoto e santo guarda qualquer coisa que lhe seja confiada. E, sempre que for solicitado a saldar sua dívida, não reclamará com o destino, mas dirá: "Agradeço-lhe o que possuí e que pude usufruir. Cuidei de sua propriedade para meu grande benefício, mas ao seu comando, eu a devolvo e a entrego com gratidão e de boa vontade. Se você ainda quer que eu tenha algo seu, devo mantê-lo seguro; se você quiser de outra forma, eu retorno e devolvo a você minha prata, tanto cunhada como laminada, minha casa e minhas posses. Se a natureza exigir de volta o que antes nos confiou, diremos também a ela: 'Aceite meu espírito em melhor forma do que quando você o deu a mim. Não reclamo, nem recuo: estou disposto a que você receba imediatamente o que me deu antes de eu estar consciente; leve-o'". Qual é o mal em voltar ao ponto de onde você veio? Viverá mal aquele que não sabe como morrer bem. Portanto, devemos primeiro retirar o valor que definimos para essa coisa e considerar o sopro da vida como algo barato. Para citar Cícero, odiamos os gladiadores que desejam salvar suas vidas de qualquer maneira; nós favorecemos aqueles que mostrarem abertamente desprezo por ela. Você deve perceber que a mesma coisa se aplica a nós: porque muitas vezes a causa da morte é o medo que temos dela. O Senhor Destino, que brinca conosco, diz: "Por que devo preservá-la, criatura vil e medrosa? Você só receberá feridas e punhaladas mais graves, pois não sabe como oferecer seu pescoço. Mas você viverá um pouco mais e morrerá mais facilmente, desde que receba a lâmina com coragem, sem retirar o pescoço e colocar as mãos no caminho dela. Aquele que teme a morte nunca fará algo digno de um homem enquanto estiver vivo. Mas aquele que sabe que esta foi a condição que lhe foi imposta no momento de sua concepção viverá nesses termos e, ao mesmo tempo, garantirá com a mesma força de espírito que nenhum acontecimento o pegará de surpresa. Pois, ao prever tudo o que pode acontecer como algo que vá realmente acontecer, ele suavizará o ataque de todos os seus problemas, que não representam surpresas para aqueles que estão prontos e esperando por eles, mas caem pesadamente sobre aqueles que são descuidados na expectativa que tudo ficará bem. Existe doença, prisão, desastre, fogo: nada disso é inesperado; eu sabia em que companhia turbulenta a natureza me encerrou. Tantas vezes os mortos foram lamentados em minha vizinhança; tantas vezes com tochas e velas conduzido funerais prematuros diante da minha soleira. Frequentemente, a queda de um prédio ecoou ao meu lado. Muitos dos que estavam ligados a mim por meio do Fórum e do Senado e das conversas do dia a dia foram levados embora em uma noite, que cortou as mãos uma vez unidas em amizade.

 Deveria me surpreender se os perigos que sempre me cercaram me alcançassem algum dia? Um grande número de pessoas planeja uma viagem marítima sem considerar a ocorrência de uma tempestade. Nunca terei vergonha de pedir a um mau autor uma boa citação. Sempre que Publilius abandonava os absurdos da mímica e da linguagem dirigida à galeria, ele mostrava mais força de intelecto do que os escritores de tragédia e comédia; e ele produziu muitos pensamentos mais impressionantes do que os da tragédia, quanto mais da farsa, incluindo este: "O que pode acontecer a um pode acontecer a todos". Se você deixar essa ideia penetrar em seus órgãos vitais e considerar todos os males de outras pessoas (dos quais todos os dias demonstram uma enorme quantidade) como tendo um caminho livre até você também, você estará armado muito antes de ser atacado. É tarde demais para a mente se equipar para suportar os perigos, uma vez que eles já estão presentes. "Eu não pensei que isso fosse acontecer" e "Você alguma vez teria acreditado que seria assim?" Por que não? Existe alguma riqueza que não seja perseguida pela pobreza, fome e mendicância? Que classes existem cujo manto púrpura, bordão de áugure e sapatos patrícios não sejam acompanhados pela miséria e pela marca da desgraça e mil marcas de vergonha e desprezo absoluto? Que realeza não enfrenta a ruína e o atropelamento, o tirano e o algoz? E essas coisas não são separadas por grandes intervalos: há apenas uma breve hora entre sentar-se em um trono e ajoelhar-se diante de outro. Saiba, então, que todas as condições podem mudar, e tudo o que acontece com qualquer pessoa pode acontecer com você também. Você é rico: mas é mais rico do que Pompeu? Mesmo assim, faltaram-lhe pão e água quando Caio, seu antigo parente e novo anfitrião, abriu a casa de César para que ele pudesse fechar a sua.

Embora ele possuísse tantos rios fluindo da nascente à foz em suas próprias terras, ele teve que implorar por gotas d'água. Ele morreu de fome e sede no palácio de um parente e, enquanto morria de fome, seu herdeiro estava organizando um funeral oficial para ele. Você ocupou os cargos mais elevados: eles eram tão altos, inesperados ou abrangentes como Sejano tinha? No entanto, no mesmo dia, o Senado o escoltou até a prisão, e o povo o despedaçou; e não sobrou nada para o carrasco arrancar do homem que tinha acumulado tudo que deuses e homens podiam oferecer. Você é um rei: não vou encaminhá-lo a Creso, que viveu para ver sua própria pira funerária acesa e extinta, sobrevivendo não apenas ao seu reino, mas também à sua própria morte; nem a Jugurtha, que foi exposto ao povo romano um ano depois de lhes causar terror. Vimos Ptolomeu, rei da África, e Mitrídates, rei da Armênia, presos por Gaio. Um deles foi enviado para o exílio; o outro esperava ser enviado para lá com mais fé. Em toda essa sucessão confusa de eventos, a menos que você considere qualquer coisa que possa acontecer como fadada a acontecer, você dá à adversidade um poder sobre você, que o homem que a vê primeiro pode esmagar.

A próxima coisa a garantir é que não desperdicemos nossas energias inutilmente ou em atividades inúteis: isto é, não ansiar pelo que não podemos alcançar, ou pelo que, uma vez conquistado, apenas nos faz perceber, tarde demais e após muito esforço, a futilidade de nossos desejos. Em outras palavras, que nosso trabalho não seja em vão e sem resultado, nem o resultado indigno de nosso trabalho; pois geralmente a amargura segue-se se não tivermos êxito ou se tivermos vergonha de o ter conseguido. Devemos parar com toda essa arrogância com que muitas pessoas se entregam, enquanto se aglomeram em torno de casas, teatros e fóruns: eles se intrometem nos negócios dos outros, sempre dando a impressão de estarem ocupados. Se você perguntar a um deles ao sair de uma casa: "Para onde você vai? No que você está pensando?", ele responderá: "Eu realmente não sei; mas vou ver algumas pessoas, vou fazer alguma coisa." Eles vagam sem rumo em busca de ocupação, e não fazem o que pretendiam, mas o que por acaso encontram pelo caminho. Sua perambulação é ociosa e sem sentido, como formigas rastejando sobre arbustos, que sem propósito sobem até o galho mais alto e depois descem novamente. Muitas pessoas vivem uma vida como essas criaturas, e você não poderia injustamente chamar isso de ociosidade ocupada. Você sentiria pena de algumas pessoas que vê correndo como se para apagar algum incêndio; muitas vezes elas se chocam com aqueles em seu caminho e se espatifam com os outros, quando todo o tempo eles corriam para chamar alguém que não retornava o seu chamado, ou para comparecer ao funeral de alguém que eles não conheciam, ou o julgamento de alguém que está constantemente envolvido em litígios, ou o noivado de uma mulher que está frequentemente se casando e, enquanto cuidavam de uma liteira, eventualmente acabavam por carregá-la nas costas. Eles então voltam para casa, exaustos sem propósito e jurando que eles próprios não sabem por que saíram ou por onde estiveram, e no dia seguinte eles vão vagar na mesma velha rotina. Portanto, deixe toda a sua atividade ser direcionada a algum objeto, deixe-a ter algum fim em vista. Não é a atividade que torna os homens inquietos, mas as falsas impressões das coisas os enlouquecem. Pois até mesmo os loucos precisam de alguma esperança para estimulá-los: a exibição ostensiva de algum objeto os excita porque sua mente iludida não consegue detectar sua inutilidade. Da mesma forma, cada indivíduo entre aqueles que vagueiam para engrossar uma multidão é conduzido ao redor da cidade por motivos vazios e triviais. O amanhecer o impele adiante sem nada para fazer, e depois de ter sido empurrado em vão à porta de muitos homens e apenas ter sucesso em saudar seus escravos anônimos, excluídos por muitos, ele não encontra ninguém em casa com mais dificuldades do que ele. Esse mal leva, por sua vez, ao vício mais vergonhoso de espionar e bisbilhotar coisas públicas e privadas e aprender sobre muitos assuntos que não são seguros nem para falar nem para ouvir.

Imagino que Demócrito tivesse isso em mente quando começou: "Quem deseja ter uma vida tranquila não deve se envolver em muitas atividades, sejam privadas ou públicas", ou seja, é claro, aquelas inúteis. Pois, se eles são essenciais, então não apenas muitas, mas incontáveis coisas devem ser feitas tanto na vida privada quanto publicamente. Mas, quando nenhum dever obrigatório nos convoca, devemos refrear nossas ações. Pois um homem que está ocupado com muitas coisas muitas vezes se coloca no poder do destino, ao passo que a política mais segura raramente é tentá-lo, embora o tenha sempre em mente e não confie nele para nada. Assim: "Devo navegar, a menos que algo aconteça"; e "Devo me tornar um pretor, a menos que algo me impeça"; e "Meu negócio terá sucesso, a menos que algo interfira". É por isso que dizemos que nada acontece ao homem sábio contra sua expectativa. Não o removemos das probabilidades que sobrevêm à humanidade, mas de seus erros, nem todas as coisas acontecem para ele como ele desejava, mas como ele as calculou, e, acima de tudo, considerou que algo pudesse barrar os seus planos. Mas, inevitavelmente, a mente pode lidar mais facilmente com a angústia decorrente de desapontamentos se você não lhe prometer o sucesso garantido. Devemos também nos tornar flexíveis, de modo que não coloquemos muito das nossas esperanças em nossos planos estabelecidos e possamos passar para as coisas que o acaso nos trouxe, sem temer uma mudança em nosso propósito ou em nossa condição, desde que a inconstância, a falha mais hostil à tranquilidade, não se apodere de nós. Pois a obstinação, da qual o destino frequentemente extorquia algo, está fadada a trazer miséria e ansiedade, e muito mais séria é a inconstância que em nenhum lugar se restringe. Ambos são hostis à tranquilidade e consideram a mudança e a resistência impossíveis. Em qualquer caso, a mente deve ser relembrada dos objetos externos a ela mesma: ela deve confiar em si mesma, alegrar-se em si mesma, admirar suas próprias coisas; deve afastar-se tanto quanto possível dos assuntos dos outros e devotar sua atenção a si mesma; não deve sentir perdas e deve ter uma visão amável até mesmo dos infortúnios. Quando um naufrágio foi relatado e ele soube que todos os seus bens haviam afundado, nosso fundador Zenão disse: "O destino me convida a ser um filósofo menos sobrecarregado". Quando um tirano ameaçou matar o filósofo Teodoro e deixá-lo insepulto, ele respondeu: "Você pode agradar a si mesmo e ter meio litro de meu sangue em seu poder; mas, quanto ao enterro, você é um tolo se pensa que me importa se eu for apodrecer acima ou abaixo do solo". Júlio Canus, um homem excepcionalmente bom, que podemos admirar, embora tenha nascido em nossa época, teve uma longa disputa com Caio; e, quando ele estava indo embora, Phalaris disse a ele: "No caso de você estar se iludindo com esperanças tolas, ordenei que você fosse conduzido para a execução". A resposta dele foi "Obrigado, nobre imperador". Não estou certo do que ele quis dizer, pois muitas possibilidades me ocorrem. Pretendia que isso fosse um insulto, ao mostrar o tamanho da crueldade que fez com que a morte fosse uma bênção? Estava ele zombando dele com seus ataques diários de loucura (pois as pessoas costumavam agradecer a ele por seus filhos que foram assassinados e cujas propriedades foram confiscadas)? Ele estava aceitando sua sentença como uma liberação bem-vinda? O que quer que ele quis dizer, foi uma resposta espirituosa.

Alguém dirá: "Depois disso, Gaius poderia ter ordenado que ele vivesse". Canus não tinha medo disso: Gaius era conhecido por manter sua palavra em ordens desse tipo. Você acredita que Canus passou os dez dias que antecederam sua execução sem nenhuma ansiedade? É incrível o que aquele homem disse, o que fez e como se manteve calmo. Ele estava jogando damas quando o centurião que arrastava uma tropa de condenados ordenou que ele também se juntasse ao grupo. Ao chamado, ele contou suas peças e disse ao companheiro: "Cuide para não alegar falsamente depois da minha morte que você venceu a partida". Então, acenando com a cabeça para o centurião, ele disse: "Você será testemunha de que estou vencendo por uma peça". Você acha que Canus estava apenas apreciando o jogo dele naquele tabuleiro? Ele estava aproveitando de sua ironia. Seus amigos ficaram tristes com a perspectiva de perder tal homem, e ele lhes disse: "Por que vocês estão tristes? Vocês estão se perguntando se as almas são imortais: logo saberei". Ele não parou de buscar a verdade até o fim e de fazer de sua própria morte um assunto para discussão. Seu professor de filosofia seguiu com ele, e quando não estavam longe do monte em que nosso deus César recebia sua oferta diária, disse: "Canus, no que você está pensando agora? Qual é o seu estado de espírito?". Canus respondeu: "Decidi tomar nota se naquele momento mais fugaz o espírito está ciente de sua partida do corpo" e prometeu que, se descobrisse alguma coisa, visitaria seus amigos e revelaria a eles o estado de sua alma. Basta olhar para aquela serenidade em meio a um furacão, aquele espírito digno da imortalidade, que invoca o seu próprio destino para estabelecer a verdade, e nessa última fase da vida questiona a alma que parte e busca aprender algo não só até a hora da morte, mas da experiência em si da própria morte. Ninguém perseguiu a filosofia até esse ponto. Um homem tão grande não será abandonado rapidamente, e a ele deve-se referir com respeito: espírito glorioso, que influo o rol de vítimas de Caio, nós garantiremos sua imortalidade.

Mas não faz sentido banir as causas do sofrimento privado, pois às vezes somos dominados pelo ódio da raça humana. Quando você imagina o quão rara é a simplicidade e quão desconhecida é a inocência, como você raramente encontra a lealdade, exceto quando é conveniente, de quantas séries de crimes bem-sucedidos você toma conhecimento e todas as coisas igualmente odiosas que os homens ganham e perdem pela luxúria, e como a ambição está agora tão longe de impor limites a si mesma, que adquire ares de perversidade; tudo isso leva a mente para uma escuridão cujas sombras a envolvem, como se aquelas virtudes fossem inúteis, e que não fosse mais possível ter esperanças e não fosse mais útil cultivá-las. Devemos, portanto, educar-nos para considerar todos os vícios que comumente mantemos, não como odiosos, mas ridículos, e devemos imitar Demócrito, em vez de Heráclito. Pois, sempre que ambos saíam em público, o último costumava chorar, e o primeiro costumava rir; o último pensava que todas as nossas atividades eram tristes; o primeiro, que eram loucuras. Portanto, devemos desprezar todas as coisas e suportá-las com tolerância: é mais civilizado zombar da vida do que lamentá-la. Tenha em mente também que merece o melhor da raça humana aquele que ri dela, do que aquele que sofre por ela; já que o primeiro permite uma perspectiva justa de esperança, enquanto o outro lamenta estupidamente sobre coisas que ele não pode esperar que sejam corrigidas. E, considerando todas as coisas, é a marca de uma mente superior não conter o riso do que não conter as lágrimas, uma vez que o riso expressa o mais gentil dos nossos sentimentos e demonstra que nada é grande, ou sério, ou mesmo miserável em cada uma das armadilhas de nossa existência. Que cada homem contemple as ocorrências individuais que nos trazem alegria ou tristeza, e ele aprenderá a verdade da máxima de Bion, que todas as atividades dos homens são como sua origem, e sua vida não é mais elevada ou séria do que sua concepção, e que, tendo nascido do nada, eles serão reduzidos ao nada. No entanto, é preferível aceitar com calma o comportamento público e as falhas humanas, e não se entregar ao riso ou às lágrimas. Pois ser atormentado pelos problemas de outras pessoas significa miséria perpétua, enquanto sentir prazer nelas é um prazer desumano, assim como é uma demonstração vazia de bondade chorar e assumir um olhar solene porque alguém está enterrando um filho. Também em seus próprios problemas, a conduta apropriada é tolerar tanto sofrimento quanto a natureza, e não o costume, exige: pois muitas pessoas choram para serem vistas chorando, embora seus olhos estejam secos enquanto não houver ninguém olhando, pois consideram uma má prática não chorar quando todos estão chorando. Esse mal de moldar nossa atitude copiando outras pessoas tornou-se tão profundamente arraigado que mesmo o sentimento mais básico, a tristeza, degenera em imitação grosseira.

Devemos, em seguida, examinar uma categoria de ocorrências que, com razão, nos causam tristeza e ansiedade. Quando os homens bons têm um fim trágico, quando Sócrates é compelido a morrer na prisão, e Rutilius, a viver no exílio, quando Pompeu e Cícero têm de oferecer seus pescoços aos clientes, quando Catão, aquele padrão vivo das virtudes, tem de cair sobre sua própria espada para mostrar ao mundo o que está acontecendo com ele e com o estado ao mesmo tempo, então temos de nos sentir angustiados pelo fato de o destino distribuir recompensas tão injustas. E o que cada um de nós pode esperar para si mesmo quando vê os melhores homens sofrendo os piores destinos? O que se segue então? Observe como cada um daqueles homens acatou seu destino; e se eles foram corajosos, anseie com seu espírito por um espírito como o deles; se morreram com covardia feminina, então nada morreu com eles. Ou eles são dignos de sua admiração por sua coragem ou indignos de seu desejo por sua covardia. Pois o que é mais vergonhoso do que se homens supremamente grandes, morrendo bravamente, tornassem os outros amedrontados? Louvemos repetidamente àquele que merece elogios e digamos: "Quanto mais corajoso, mais feliz ele é! Você escapou de todos os infortúnios, inveja e doença; você saiu da prisão, não que você parecesse aos deuses digno de má sorte, mas indigno de que o destino ainda tivesse poder sobre você". Mas temos de impor as mãos sobre aqueles que recuam e, no momento da morte, olham de volta para a vida.

Eu não chorarei por ninguém que esteja feliz e por ninguém que esteja chorando: o primeiro, ele mesmo enxugou minhas lágrimas; o outro, por suas próprias lágrimas, mostrou-se indigno de qualquer das minhas lágrimas. Devo chorar por Hércules porque ele foi queimado vivo, ou por Regulus porque foi perfurado por todos aqueles pregos, ou por Catão porque causou suas próprias feridas? Todos eles, renunciando a um breve período, encontraram o caminho para se tornarem eternos e, morrendo, alcançaram a imortalidade.

Há também outra fonte não desprezível de ansiedade, se você está preocupado demais em assumir uma posição e não se revelar abertamente a ninguém, como muitas pessoas cujas vidas são falsas e voltadas apenas para a exibição exterior. Pois é angustiante estar sempre observando a si mesmo com medo de ser pego quando sua máscara costumeira cair.

Nem podemos ficar despreocupados quando pensamos que, quando somos observados, somos avaliados; pois muitas coisas acontecem para nos despojar de nossas pretensões contra nossa vontade, e, mesmo que toda essa atenção para consigo mesmo tenha êxito, a vida daqueles que sempre vivem atrás de uma máscara não é agradável ou isenta de cuidados. Pelo contrário, quão cheia de prazer é essa simplicidade honesta e naturalmente sem adornos que de forma alguma esconde sua disposição!

No entanto, também essa vida correrá o risco de ser desprezada se tudo for revelado a todos; pois para algumas pessoas a familiaridade gera desprezo. Mas não há perigo de a virtude ser considerada barata como resultado de uma observação atenta, e é melhor ser desprezado pela simplicidade do que sofrer agonias por pretensão eterna. Mesmo assim, vamos usar a moderação aqui: há uma grande diferença entre viver com simplicidade e viver sem cuidado.

Devemos também nos isolar muito em nós mesmos; pois associar-se com pessoas diferentes de nós perturba uma disposição calma, desperta novamente as paixões e piora qualquer fraqueza mental que não tenha sido completamente curada.

No entanto, as duas coisas devem ser mescladas e variadas, a solidão e o juntar-se à multidão: a primeira nos fará ansiar pelas pessoas, e a outra por nós mesmos, e cada uma será remédio para a outra; a solidão irá curar nosso desgosto por uma multidão, e uma multidão irá curar nosso tédio com a solidão.

A mente não deve ser mantida continuamente no grau de concentração, mas receber diversões e distrações. Sócrates não corava por brincar com crianças pequenas; Catão acalmava sua mente com vinho quando estava cansado das preocupações do Estado; e Cipião costumava exibir sua forma triunfal e militar na dança, não se arrastando delicadamente no estilo atual, quando mesmo andando os homens se agitam e se contorcem com uma voluptuosidade mais do que efeminada, mas no estilo viril e antiquado, com o qual os homens dançavam em momentos de jogos e festas, sem perder a dignidade, mesmo que seus inimigos os observassem. Nossas mentes devem relaxar: elas se levantarão melhor e mais aguçadas após um descanso. Assim como você não deve forçar terras férteis, já que a produtividade ininterrupta logo a exaurirá, o esforço constante minará nosso vigor mental, enquanto um curto período de descanso e relaxamento restaurará nossas forças. O esforço incessante leva a uma espécie de embotamento mental e letargia. Nem os desejos dos homens se moveriam tanto nesta direção se o esporte e a diversão não envolvessem uma espécie de prazer natural; embora a indulgência repetida com isso destrua toda a gravidade e força de nossas mentes. Afinal, o sono também é essencial como restaurador, mas, se você o prolongar constantemente, dia e noite, será a morte. Há uma grande diferença entre afrouxar seu controle sobre algo e cortar de uma vez o vínculo. Os legisladores estabeleceram feriados para dar às pessoas uma autorização pública para se divertirem, pensando ser necessário introduzir uma espécie de equilíbrio em seu trabalho; e, como eu disse, alguns grandes homens se concederam férias mensais em dias fixos, enquanto outros dividiam todos os dias em períodos de lazer e trabalho. Lembro-me de que essa era a prática do grande orador Asinius Pollio, a quem nada mantinha trabalhando depois da décima hora. Depois desse horário, ele nem mesmo lia suas cartas, para o caso de algo novo surgir que precisasse ser resolvido; mas nessas duas horas ele se livraria do cansaço do dia inteiro. Alguns fazem uma pausa no meio do dia e deixam qualquer tarefa menos exigente para as horas da tarde. Nossos ancestrais também proibiam qualquer nova moção a ser apresentada ao Senado após a décima hora. O exército divide os turnos, e quem retorna de uma expedição fica isento do plantão noturno. Devemos ser indulgentes com a mente e, de tempos em tempos, permitir-lhe o lazer que é seu alimento e força. Devemos sair para caminhadas ao ar livre, para que a mente possa ser fortalecida e revigorada por um céu claro e muito ar fresco. Às vezes, adquire energia renovada com uma viagem de carruagem e uma mudança de cenário, ou com a socialização e a bebida à vontade. Ocasionalmente, deveríamos chegar ao ponto da embriaguez, afundando na bebida, mas não sendo totalmente afogados por ela; pois ela elimina as preocupações, leva a mente a suas profundezas, e cura a tristeza, assim como cura certas doenças. Liber não foi nomeado porque ele solta a língua, mas porque ele liberta a mente de sua escravidão aos cuidados, emancipa-a, revigora e encoraja para todos os seus empreendimentos. Mas há uma moderação saudável no vinho, como na liberdade. Acredita-se que

Sólon e Arcesilas tenham gostado de seu vinho, e Catão foi acusado de embriaguez; quem quer que o tenha acusado, tornará a acusação honrosa mais facilmente do que vergonhosa para Catão. Mas não devemos fazer isso com frequência, caso a mente adquira um mau hábito; contudo, às vezes deve ser estimulado a se alegrar sem restrição, e a austera sobriedade deve ser banida por um tempo. Pois, se concordamos com o poeta grego que "Às vezes é doce ficar louco", ou com Platão que "Um homem com mente sã bate em vão às portas da poesia", ou com Aristóteles que "Nenhum grande intelecto houve sem um toque de loucura", apenas uma mente profundamente agitada pode proferir algo nobre e além do poder dos outros.

Quando ele despreza os pensamentos cotidianos e corriqueiros e se eleva nas asas da inspiração divina, só então soa uma nota mais nobre do que a voz mortal poderia emitir. Enquanto permanecer em seus sentidos, não pode alcançar nenhuma altura elevada ou mais difícil: deve abandonar a pista usual e sair correndo, pisando firme e apressando seu motorista em seu percurso até uma altura na qual temeria escalar sozinho.

Então aqui está, meu caro Serenus, os meios de preservar a sua tranquilidade, os meios de restaurá-la e os meios de resistir às faltas que se aproximam de você de surpresa. Mas esteja certo de que nenhum deles é forte o suficiente para aqueles que querem preservar uma coisa tão frágil, a menos que a mente vacilante seja cercada por um cuidado atento e incessante.